MW00648835

Trascender para ascender

Un camino hacia el amor

Por Lorena Villarreal

Conferencista, terapeuta, escritora

2ª edición: noviembre 2020
© Amazon

© Lorena Villarreal, 2019
© Ediciones Amazon
© Betty Padilla de Marcos, por el prólogo
© Sue Giacomán por las ilustraciones

ISBN 978-607-29-1635-7

"Están obligadas a llevarlo publicaciones de todo tipo reproducidas en cualquier clase de soporte y destinadas por cualquier procedimiento a su distribución o comunicación pública, sea esta gratuita u onerosa, entre las que se incluyen, entre otros, los libros y folletos, estén o no destinados a la venta, revistas, partituras, cromos, mapas, documentos sonoros y audiovisuales, documentos electrónicos y sitios web"

Reservados todos los derechos. No se permite la reproducción total o parcial de esta obra, ni su incorporación a un sistema informático, ni su transmisión en cualquier forma o por cualquier medio (electrónico, mecánico, fotocopia, grabación u otros) sin autorización previa y por escrito de los titulares del copyright. La infracción de dichos derechos puede constituir un delito contra la propiedad intelectual.

1ª edición: abril 2019

© Ediciones Amazon

Diseño, composición y portada: Sue Giacoman
Correccion ortográfica: Mané Brull

"El despertar de conciencia es un proceso individual.

Pretender que los demás despierten al mismo tiempo que tú sería absurdo e irrespetuoso.

Nadie puede evolucionar por otro, pero tampoco nadie lo puede hacer si no es a través de la convivencia con los demás.
Del compartir con ellos es como vamos avanzando.

Unos lo logran antes y otros un poco después, pero nadie se queda en el camino. Respetar el tiempo de cada quien es indispensable.

Cuando tú despiertes, y veas que a tu alrededor los demás aún duermen, mantente en silencio y no les hagas ruido. Respeta su sueño.
Todavía no es el momento de ellos.

En eso consiste el amor, en saber respetarnos los unos a los otros."

Lorena Villarreal

DE LA AUTORA

Quiero dar un reconocimiento muy especial a mis cuatro hijos, Mario, Andrés, José Luis y Jimena, quienes al elegirme como su mamá, me encendieron ese motor que me ha tenido en movimiento siempre, y que no me permitió caerme cuando las experiencias de mi vida estaban siendo tan complicadas.

Mi admiración por ellos que supieron convertir las dificultades en oportunidades para crecer y fortalecerse.

Ser brillante cuando la vida te sonríe es sencillo, pero saber ser un apoyo para los demás, y dar lo mejor de ti cuando la vida se complica, no es tan fácil. Se necesita ser valiente. Se necesita ser grande. Va por ellos con todo mi orgullo.

También va por mi esposo, quien alegra mi vida diariamente. Por mis papás, de quienes aprendí el profundo significado del servicio, y el valor de la incondicionalidad. Por mis nueras por las que me siento tan agradecida, y por mis nietos, que hacen sonreír mi corazón.

Lorena Villarreal

ÍNDICE

PREFACIO

Hablar de Gerardo Schmedling Torres es hablar de sabiduría y es hablar de amor.

Una de sus principales virtudes fue saber transmitir su enseñanza de una manera fácil y simple. Todo parece tan sencillo para él. En realidad lo es, sólo que nuestro ego nos hace creer que es complicado.

Agradezco profundamente haberme topado con Gerardo en mi vida, que aun cuando ya no me tocó conocerlo personalmente ya que había abandonado los planos físicos, su enseñanza sí me tocó profundamente. Ésta sigue y seguirá viva por siempre.

Gerardo supo estructurar la información que a él le fue revelada por maestros Espirituales, y le dio forma a lo que ahora conocemos como Escuela de Magia del Amor. Aun cuando él ya no está con nosotros, la semilla de amor que sembró está esparciéndose y dando frutos en distintos países del mundo.

Este libro está inspirado en su enseñanza. Todo lo que en este libro escribo, lo aprendí de él, y sólo de él. Simplemente soy un canal para que esta información de amor le llegue a los oídos dispuestos a escuchar, y a los corazones preparados para amar.

Es mi deseo a través de este libro hacerle un gran homenaje a este gran maestro. Y también agradecer profundamente a Betty Padilla de Marcos, quien al contacto con esta información resonó de tal manera que se dio a la tarea de compartirla, y de hacer que la enseñanza de Gerardo se esparza por el mundo.

Lorena Villarreal

PRÓLOGO

En la vida todos experimentamos momentos de dificultad y sufrimiento en distinto grado. Y fue precisamente situaciones de saturación en dificultad y sufrimiento, las que me llevaron a la búsqueda de respuestas para aquellas preguntas, que nada ni nadie antes había podido resolver; una búsqueda de la comprensión profunda a las situaciones de mi vida y su origen. Fue así que encontré —o mejor dicho me encontró— una nueva información que inspiró en mí una necesidad de transformación mental y espiritual.

Las enseñanzas del filósofo colombiano Gerardo Schmedling T. consignadas en su gran legado pedagógico, filosófico y humanista: Escuela De Magia Del Amor, brindan al mundo, una nueva información de sabiduría, que amplía la comprensión acerca de nuestro papel en el gran concierto universal, la causa de nuestros sufrimientos y la manera de trascenderlos. Enseñanzas que han transformado e inspirado la vida de miles de personas alrededor del mundo.

Lorena Villareal, aplicada estudiosa de esta información y autora de esta obra, nos brinda de manera sencilla y clara, sus profundas comprensiones de estas enseñanzas. 150 poderosas reflexiones, que nos orientan a ver, desde nuevas perspectivas, los eventos más difíciles y las creencias limitantes más comunes en el total de la actual humanidad.

Trascender para ascender, nos invita a inspirarnos en la magia del amor para transformarnos internamente, fluir con las leyes universales y obtener resultados cada vez más satisfactorios y gratificantes. Espero disfruten tanto como yo, la lectura de estas páginas.

Con cariño,

Betty Padilla de Marcos
Monterrey, México

INTRODUCCIÓN

Escribí este libro sin saber que lo estaba escribiendo. De hecho, mi intención sólo era darle al alumnado un apoyo para ir comprendiendo poco a poco de qué se trata la vida, y cómo funciona este mundo tan enmarañado en el que vivimos.

No es un libro con el que te vayas a picar, y lo vayas a terminar en cinco días. No está diseñado para eso. La idea es que te lo tomes con calma, y le des el tiempo adecuado para que la información se vaya asentando de poco a poco en tu mente y en tu corazón.

Mi recomendación es que leas una enseñanza al día, y la vuelvas a leer, y la vuelvas a leer. Que la vayas reflexionando hasta que se haga parte de ti.

Sé constante. Sé persistente. Sé desafiante. Sé osado.

Tu mente no va a aceptar una información que no le parezca lógica, por lo tanto, si en alguna enseñanza te atoras, hazla a un lado y continúa con la que sigue. No te distraigas en eso. No pasa nada si algo de lo que escribo no resuena contigo. Es normal, y está bien.

No quiero que me creas nada de lo que en este libro escribo. De hecho, te invito a que no lo hagas. Creer no nos sirve sino para agrandar nuestro sistema de creencias (ego) del cual queremos salir.

Por el contrario, te invito a dejar la información en tu mente en una carpeta que diga "Archivo por verificar".

En tu día a día, te irás enfrentando a experiencias en las cuales podrás verificar la información. De "Archivo por verificar" la podrás sumar a tu comprensión de amor en el momento adecuado. A las verdades verificadas en ti. Has que no sea una creencia, sino que sea una verdad de amor.

Cuando te encuentres en uno de esos días que no sabes para dónde hacerte, o que te sientes confundido, toma tu libro, haz tres respiraciones lentas y suaves, aquieta tu mente por unos instantes, y ábrelo al azar. Casi te aseguro que se abrirá en la página exacta que te llevará a encontrar una respuesta.

Es mi deseo que estas enseñanzas lleven luz a tu mente, y que a través de esa Luz logres ir avanzando en este camino que todos caminamos, el cual nos conducirá de regreso a casa, a ese océano de amor inmensurable e Infinito de donde salimos, y hacia dónde vamos de regreso.

Ya tienes la información. Ahora te toca a ti iluminar tu mente y compartir esa luz con tu entorno. Esparce tu luz. Que lo que toques se ilumine.

Lorena Villarreal

CAPÍTULO I

El profundo poder de mi pensamiento

El pensamiento es la herramienta más poderosa que tienes. Con él puedes destruir o puedes construir. Su uso depende de ti.

Elige el pensamiento amoroso, y accederás a niveles insospechados donde podrás potencializar tus facultades superiores.

Enseñanza 01

Vigilar mi palabra debe ser uno de mis propósitos si quiero convertirme en un ser de amor.

A través de nuestro verbo es como más nos equivocamos. Hablamos con mucha facilidad sin pensar lo que vamos a decir.

Mi palabra puede ser un arma muy destructiva, o puede ser una herramienta maravillosa. Cómo la uso depende de mí.

Si lo que vas a decir va a dañar a alguien, no lo digas. Es mucho más amoroso el silencio.

Que tu palabra traiga siempre un mensaje de amor, mejoramiento, y apoyo para quien lo recibe.

Solo di lo bueno que veas en los demás. Decir lo malo no es necesario, y tampoco es de amor. Solo te aleja de las personas.

No es nada agradable estar con alguien que se está quejando. Que critica a los demás constantemente, y que es agresivo. A las personas así, más tarde que temprano las empezamos a evitar y se van quedando solas.

Vigila tu palabra. Que cuando digas algo, sea para resaltar las virtudes de los demás y sea para dar un aliento de esperanza a alguien.

Mantente en silencio cuando sea adecuado, pero ilumina tu entorno cuando decidas hablar.

Enseñanza 02

El destino de los demás no depende de mí, aun cuando yo haya sido un instrumento para que se cumpla.

Pongamos un ejemplo:
Yo voy por la calle y por descuido atropello a alguien que está parado en una esquina. El accidente lo deja paralizado, atado a una silla de ruedas de por vida.

Yo me descuidé y ése fue mi error. Pero él no estaría en esa esquina ni no necesitara esa experiencia. Fueron los ángeles los que lo llevaron a esa esquina para que fuera atropellado.

Por lo tanto, aquí tenemos un doble aprendizaje. Aprendo yo de mi error y del caos que a mí me va a provocar ese accidente. Lo más probable es que me voy a llenar de culpa y remordimientos que no me van a permitir vivir en paz.

Y aprende él, ya que se va a llenar de enojo, desesperación y frustración, y además va a hacer papel de víctima, culpándome a mí.

En el universo el culpable no existe. Existen sólo experiencias para que aprendamos de ellas.

¿Qué es lo que de esta experiencia se tiene que aprender?
El atropellado tendrá la maravillosa oportunidad de desarrollar su paciencia y tolerancia. Tendrá que aprender que esa silla no le puede impedir a él ser feliz y disfrutar de la vida, aun siendo un inválido.

Y el conductor necesitará aprender que todos tenemos derecho a cometer errores porque estamos aprendiendo. Que cada quien hace lo mejor que puede aunque se equivoque.

Aprenderá que vivir con culpa no le sirve ni a él ni al otro. Tendrá que buscar la forma de perdonarse y comprender que la felicidad no depende de lo externo, sino de uno mismo.

La felicidad es un estado interior que ni el atropellado ni nadie te puede quitar. Depende de ti.

Los errores son sólo eso, errores, que están diseñados para que aprendamos de ellos tanto el que lo comete, como el que recibe el resultado.

No hay otra forma de aprender.

Enseñanza 03

Nadie comete errores por gusto. Si lo hacemos es por falta de información.

¿A quién no le gustaría ser el mejor compañero, el mejor hermano, hijo o amigo? ¿A quién no le gustaría ser el más exitoso, el más próspero o abundante?

Si no lo somos es porque no sabemos cómo, o porque no hemos logrado desarrollar nuestras habilidades.

Esa es precisamente la razón de nuestro paso por el mundo físico. Aprender a través del error para irnos perfeccionando y desarrollarnos espiritualmente.

Entonces, ¿Por qué me molesta tanto que los demás se equivoquen?, ¿Por qué me molesta cuando yo lo hago?

El error es la herramienta más extraordinaria que tenemos para aprender. Es equivocándonos como descubrimos lo que hacemos mal, y de esa manera lo rectificamos.

El problema no es el error, sino lo que yo hago con él. Como no comprendo la importancia que tiene, me la paso juzgando, criticando y condenando a los demás. Intento cambiarlos porque no los acepto, y quiero que se adapten a lo que yo creo que está bien.

Eso me ocasiona sufrimiento constante, deterioro de mis relaciones. Pierdo mi paz y daño mi salud.

Qué diferente sería si en lugar de intentar cambiar al otro, decido yo hacer un cambio en mí, para aprender a respetarlo, aceptarlo y amarlo como es,

16

entendiendo que cada quien hace lo mejor que puede, aunque se equivoque.

Habré dado un paso grande en mi desarrollo espiritual. Ahí sabré que estoy amando.

Enseñanza 04

Todos los seres humanos sin excepción tenemos en nuestro interior virtudes y limitaciones, aunque no las conozcamos.

Las virtudes se originan en mi sabiduría, y las limitaciones se originan en mi ignorancia.

Tanto unas como otras interactúan simultáneamente en mí, pero una de ellas se impondrá sobre la otra. Si yo uso más mis limitaciones, las entreno, las fortalezco, y por consecuencia se imponen sobre mis virtudes. Y viceversa.

¿Qué comparto yo con los demás?

Si lo que les comparto son mis miedos, mi frustración, mis traumas, mis inseguridades, estoy fortaleciendo mis limitaciones.

Si por el contrario les comparto la alegría en mí, mi entusiasmo, amabilidad, gentileza, estoy fortaleciendo mis virtudes.

Piensa por un momento qué es lo que tú estás compartiendo con el exterior. Si no te estás relacionando con los demás desde lo mejor que hay en ti, seguro que has fortalecido más tus limitaciones.

¡Obsérvate! El ejercicio de la auto-observación te llevará a conocer qué es lo que tú estás compartiendo con los demás. Si eso que compartes no es lo mejor que hay en ti, podrás empezar a modificarlo.

Cuando te acostumbras a relacionarte desde tus virtudes, tus relaciones son excelentes.

18

"Sólo lo mejor que hay en ti, se puede relacionar con lo mejor que hay en los demás".

Enseñanza 05

Frecuentemente nos sentimos con el derecho de criticar y juzgar a los demás, y decirles lo que nosotros pensamos de ellos o de alguna cosa que ellos hacen, creyéndonos muy sinceros y sintiéndonos orgullosos por eso.

Ser sincero no es una virtud, es una falta de respeto y es una agresión, derivada de nuestra ignorancia.

Nos vendieron la idea de que la sinceridad era una cualidad en el ser humano, y creemos que por eso tenemos el derecho de decir la verdad.

¿Cuál verdad? Mi verdad no es la verdad. Es sólo lo que yo creo que es la verdad.

La única verdad es que cada persona tiene el derecho de tener una forma física, unos gustos determinados, una personalidad específica, un intelecto, etc., necesarios y correspondientes con su nivel de evolución. Esto no es ni bueno ni malo. Es necesario y correspondiente.

Si a mí no me gusta algo del otro es porque no lo estoy viendo desde amor. Yo no lo acepto, y eso es porque no he comprendido lo que el amor es.

Si mi ego me dice que "Yo sí sé lo que es bueno y lo que es malo, lo que está bonito o feo, lo que está bien o mal" y me atrevo a juzgar a los demás desde mis creencias, estoy actuando desde mi ignorancia y no desde mi sabiduría.

Ver a los demás desde el amor es comprender que cada quien tiene el derecho a sus propias ideas, gustos y costumbres. Que todos hacemos lo mejor que podemos, aunque nos equivoquemos. Y que todos estamos en un proceso de desarrollo espiritual necesario y perfecto para cada quien.

Si en lugar de criticar y juzgar a los demás nos dedicamos a verlos con amor, y a disponernos a servirlos incondicionalmente, agradeciendo y valorando lo que puedo aprender de ellos, habré dado otro paso hacia adelante en mi desarrollo espiritual.

Eso es expresar el principio de amor en mí.

Enseñanza 06

La paz en el universo no existe. Al menos, no donde nosotros la buscamos.

Yo no le puedo pedir a un tigre que respete al venado. No puede porque es parte de la cadena alimenticia. El venado es su alimento.

Igual pasa con el ser humano. No puede respetar a los demás porque no sabe cómo y no tiene con qué. La contaminación que hay en su mente no se lo permite.

A menos que el hombre haya entrado en un proceso de desarrollo espiritual, donde ya manifestó el principio de amor en él, no tiene cómo respetar a nadie.

La paz existe sólo de manera interna, y ahí sí que puedo tener paz.

Cuando yo respeto a todo ser viviente, acepto que todo lo que sucede es necesario y perfecto para quien lo vive, y responde a un principio de amor de nuestro Padre, cuando no lucho contra nadie ni contra nada, y valoro todo lo que me sucede y decido aprovecharlo para aprender, entro en un estado profundo de paz.

Cuando asumo mi vida con sabiduría, sin culpar a nada ni a nadie de lo que me sucede, y agradezco profundamente cada experiencia por lo que de ellas aprendo, ahí puedo estar en paz.

La paz es independiente de los sucesos externos. Yo puedo estar en profunda paz aún en medio del caos externo, el conflicto y las guerras.

A veces escuchamos que alguien "Lucha por la paz". La palabra lucha y la palabra paz son totalmente opuestas. No se pueden usar juntas.

Cuando suelto mis miedos y me pongo en las manos del Padre, estoy en paz. Cuando dejo de luchar y acepto todo lo que sucede, estoy en paz. Cuando puedo amar a todo ser humano sin juzgar ni criticar, estoy en paz.

A partir de hoy dejo de luchar por la paz, y empiezo a trabajar en mi paz.

Enseñanza 07

Si una persona lograra mantenerse alegre constantemente, sin importar las situaciones que puedan existir a su alrededor, su ego desaparecería.

Desaparecería porque no tendría de qué alimentarse. Así de simple.

El ego se alimenta del sufrimiento que se genera en la mente cuando estás luchando contra la vida. De los miedos, tristezas, ira, culpa, vergüenza. Todo lo que te genera un estado depresivo.

Esa es la razón por la que tu ego siempre trata de tenerte sufriendo. Te juega trampas todo el tiempo para generar conflicto en ti. Lucha y se resiste para no morir.

En cuanto dejas de sufrir y tu mente se mantiene en estados de satisfacción y de amor, se disuelve por completo.

Pero al ego no lo debemos disolver hasta que no haya cumplido su función, ya que si está en nosotros no es por casualidad, o porque Dios se haya equivocado.

El ego tiene una función, que es llevarnos a descubrir la "Ley de Amor". Sin un punto de comparación no es posible descubrirla. Esa es la importancia de éste.

Sin embargo, el ego solamente es una herramienta para el descubrimiento de las Leyes del universo, y su comprensión. Una vez que se ha completado la comprensión en la conciencia, el ego ya no es necesario.

Enseñanza 08

Cuando en una relación de pareja, tú eres de los que dicen "Yo sin ti no podría vivir", "Yo te necesito", no estás siendo una compañía. Estás siendo una carga.

Creemos que frases de ese tipo son románticas, pero no lo son. Son asfixiantes. Son cargas muy pesadas que le estás echando al otro encima.

El compartir con una pareja debe de ser desde la libertad. Desde el placer de estar juntos. Que lo que nos una sea el amor, y no la necesidad.

A la mayoría de las parejas no las une el amor, sino el miedo. El apego que desarrollamos por nuestra inseguridad.

Para poder compartir desde el amor y no desde mis limitaciones, necesito trabajar en mí. Necesito hacer un trabajo interno que me dé independencia espiritual.

El que desarrolla la independencia espiritual ya no es una carga para nadie. Tiene la capacidad de relacionarse con los demás por las razones adecuadas.

Por el placer de compartir nuestras vidas, y recorrer el camino juntos, aprendiendo a cada paso y apoyándonos en el proceso.

Te acompaño con mi amor, comprendiendo que los dos estamos experimentando la vida, y aprendiendo de ella. Si te caes en el camino, te tomo de la mano para ayudarte a levantar, sin juzgar ni criticar tus resultados.

Enseñanza 09

¿Dónde hay más amor?

¿En luchar por tratar de cambiar a los demás cuando se comportan de formas que no me gustan, o en aceptarlos tal cual son?

Definitivamente en querer cambiar a los demás no hay amor. Nada, ni tantito. Ahí lo que hay es ego.

Cuando yo quiero que las situaciones y las personas cambien y se adapten a mí, lo que hay es un egoísmo muy grande. Mi ego es capaz de sacrificar a los demás con tal de yo estar tranquilo y feliz.

Se justifica diciendo que como los amo, quiero que cambien, porque yo sé lo que es bueno para ellos. Nada más ignorante que eso.

El amor está en aceptar a los demás tal cual son, aunque hagan cosas que no me gusten. No me tiene que gustar lo que los demás hacen para amarlos.

El amor está en comprender que cada quien hace lo mejor que puede, aunque se equivoque.

El amor está en que en lugar de querer cambiar al otro, decido cambiar yo, internamente, para aceptarlo a él tal cual es, con todas sus limitaciones y sus errores.

Ahí sí hay amor.

Enseñanza 10

Apoyar a alguien significa que aunque haya cometido un error de cualquier naturaleza, yo renuncio a agredirlo, a criticarlo o a juzgarlo.

Por el contrario, le voy a decir "Mira, no te preocupes, has cometido un error pero todos los seres humanos los cometemos, y de ellos aprendemos". "Dame tu mano, vamos a levantarnos, y vamos a seguir el camino". "Cuenta conmigo para lo que te pueda ayudar".

Ahí estoy actuando desde lo mejor que hay en mí, estoy usando mis valores y estoy amando.

Enseñanza 11

Existen tres tipos de personas en el mundo: El bueno, el malo y el justo.

Estos tres personajes son igualmente importantes y necesarios para los procesos de evolución. La diferencia entre ellos es que el justo tiene más tiempo en el camino que el bueno, y el bueno tiene más que el malo.

El malo es alguien con mucha ignorancia que todavía no ha desarrollado los sentimientos. A él no le interesan los demás, sólo se interesa por sí mismo. Por lo tanto, tiene muy malas relaciones y no tiene paz.

El bueno es alguien también ignorante, sólo que ya ha desarrollado los sentimientos, y se interesa más por los demás que por él mismo. Como tiene mucho sentimiento, le duelen profundamente los demás, por lo tanto se la pasa interfiriendo en las experiencias de otros, intentando cambiarlas. Tiene buenas relaciones ya que la gente lo quiere, y tiene algo de paz.

El justo, quien ya tiene bastante sabiduría, ha logrado trascender el sentimiento porque comprende que cada quien vive las experiencias necesarias para su aprendizaje, y que sufrir no le sirve ni a los demás, ni a él.

El justo se interesa por los demás pero de igual manera se interesa por sí mismo, porque comprende que cuanto mejor esté él, más herramientas tendrá para servir y amar.

El justo no lucha por cambiar las situaciones, sino que las aprovecha porque entiende que todo lo que sucede es perfecto, y sólo existen experiencias necesarias para aprender de ellas.

El justo no interfiere en los problemas de los demás, ni intenta solucionarlos. Comprende que cada quien tiene lo que necesita.

El malo aprende del bueno, ya que le reconoce su paz y sus buenas relaciones, e intenta seguirlo. El bueno aprende del malo a reconocer las leyes del universo, ya que el malo siempre lo confronta con situaciones difíciles.

Trabajar en nuestro desarrollo espiritual nos llevará al justo, quien tiene una vida supremamente satisfactoria y armónica, hace siempre lo adecuado, tiene excelentes relaciones, y vive en abundancia total.

Enseñanza 12

Una persona que ama, sabe ser feliz con la felicidad del otro.

Para él, no hay nada más importante que eso. Ni sus gustos, ni sus conceptos, ni sus creencias son más importantes que ver feliz al otro.

En las relaciones, hay cosas que nos unen, y cosas que nos separan. ¿A qué le estoy dando más importancia?

Los valores nos unen, las limitaciones nos separan.

Cada vez que yo utilizo un valor, genero unión y cooperación. Cada vez que yo utilizo una limitación, genero separación y rechazo.

Definición de valor:
Un valor es algo que siempre que se utiliza genera satisfacción, paz y alegría tanto en el que lo da, como en el que lo recibe.

Definición de limitación:
Una limitación es algo que siempre que se utiliza, genera conflicto, separación y desarmonía, tanto en el que lo da, como en el que lo recibe.

Normalmente nos relacionamos a través de nuestras Limitaciones. Usamos muy poco los valores.

¿Qué estás compartiendo ahora con los demás, tus miedos, tu inseguridad, tus frustraciones, es decir, tus limitaciones? ¿O compartes tu alegría, tu entusiasmo, tu servicio, es decir, tus valores?

Cuando utilizas tus valores, le sumas amor a tu vida.
Cuando utilizas tus limitaciones, se lo restas.
Matemáticas simples.

Enseñanza 13

La muerte es un suceso necesario, natural y absolutamente hermoso.

La ley de la naturaleza nos dice "Todo lo que nace, muere". Yo le agregaría también "Todo lo que muere, nace".

Imaginemos por un instante que la muerte no existiera. Nos quedaríamos en estos cuerpos por siempre. Eso sería tremendo.

O sea, el enfermo se quedaría enfermo por siempre, al igual que el discapacitado, o el que tiene alguna deformación. Nuestras limitaciones serían eternas.

O sea que si yo voy avanzando en mi desarrollo espiritual, mi cuerpo me limitaría porque él no avanza. Sería siempre el mismo y no se adaptaría a mi nueva estructura espiritual.

La maravilla de la muerte es que nos permite constantemente estarnos renovando. Liberarnos de un cuerpo limitado para tomar uno nuevo que se adapte a mi nuevo nivel evolutivo, en la medida en que voy aprendiendo.

Sólo que hay de muertes a muertes: Hay quien muere porque ya aprendió, y hay quien muere porque ya dejó de aprender.

Esto depende de nuestra flexibilidad mental. Mientras nuestra mente esté abierta y dispuesta a recibir la información del Padre, seguirá aprendiendo. Cuando se cristalice y se haga rígida, dejará de aprender, convirtiendo nuestra experiencia en inútil.

"Que cuando muramos sea porque ya aprendimos, y no porque ya dejamos de aprender".

Enseñanza 14

El culpable en el universo no existe, al igual que tampoco existe la culpa. Lo que existe son experiencias correspondientes y exactas con cada persona que las está viviendo, con la finalidad de que aprenda de ellas.

Culpar a los demás de lo que yo siento y de lo que me sucede es un vicio de la mente que no me permite evolucionar.

Toda persona tiene derecho a cometer errores. El error es una herramienta extraordinaria y es cometiendo errores como aprendemos a reconocer las Leyes que rigen el universo.

Lo que yo haga o sienta con el error de otra persona depende de mí. Soy yo quien decide que ese error me afecte.

Prefiero pensar que los demás tienen la culpa de que yo me sienta mal, o de que las cosas no sean como yo quisiera. Culpo a mis padres, a mi pareja, a mis hijos, al gobierno o a la sociedad.

Si en lugar de buscar culpables, asumo mi vida, comprendiendo que cada quien hace lo mejor que puede, aunque se equivoque, habré dado un paso hacia adelante en mi crecimiento espiritual.

Hoy decido aprovechar el error del otro para entrenarme en mi capacidad de amarlo, respetarlo y aceptarlo sin juzgarlo. A pesar de que el otro se equivoque, yo no pierdo mi paz ni mi capacidad de servirlo con amor. Eso sí depende de mí.

Enseñanza 15

Cuando yo nací, mi mente estaba en blanco. A lo largo de mi vida se ha ido llenando de información desorganizada que recibí a través de mis padres, mi entorno, de la sociedad, etc.

Esa información la conocemos como ego, o sistema de creencias. Este ego es único en mí. No hay dos iguales, ya que se formó con mis propias experiencias.

A mi pareja le pasó lo mismo. Nació con su mente en blanco y formó su ego con sus experiencias propias.

Esto no es ni bueno ni malo. Es necesario que todo ser humano pase por este proceso de ensuciar la mente, para aprender luego a limpiarla.

Pero ¿Qué es lo que pasa en las relaciones? La información que yo tengo grabada en mi mente es diferente a la del otro. Por lo tanto los dos vemos la vida desde puntos de vista diferentes.

Los dos creemos tener la razón, y ahí es donde se genera el conflicto en las parejas.

Para poder armonizar cualquier situación que se presente, necesito ponerme en los zapatos del otro. Ver las cosas como las está viendo él.

Tener razón no es importante. No sirve para nada. Es al ego a quien le interesa tener la razón, y sólo me aleja de las personas que quiero.

Lo verdaderamente importante es aprender a expresar el amor. Para hacer esto necesito manejar el ejercicio de ponerme en sus zapatos.

Enseñanza 16

Este esposo(a), estos hijos, estos padres y hermanos, estos vecinos.

Esta casa, este trabajo, este entorno, este coche.

Este cuerpo, esta salud, este intelecto, esta ignorancia, esta posición económica.

Todo esto es lo que conforma mi realidad. Es con lo que cuento para vivir mi vida. Aquí es donde puedo aprender a ser feliz, a servir con Amor y a desarrollar mi paz interior.

A mí de nada me sirve que en otros lados sucedan cosas. Mi realidad es ésta, y es la única que me corresponde. Y es en la que yo puedo actuar.

Todos tenemos una realidad, y ésa es matemáticamente exacta con lo que yo necesito vivir. Si la realidad de los demás es diferente es porque ellos necesitan algo diferente.

Mi realidad es perfecta para mí, así a veces no me guste. Y si no me gusta es porque no acepto la vida como es. Me dejo llevar por mi ego.

Al ego siempre le va a gustar más la realidad del otro, y me va a hacer que yo trate de cambiar la mía.

La realidad se aprovecha, no se lucha contra ella. Si ésta no me gusta, no se trata de cambiarla. Se trata de cambiar yo dentro de esa realidad.

Cuando cambio yo, la realidad se modifica sola.

¿Cómo la puedo aprovechar para que cambie sola?

Aquí, ahora, en este lugar, con estas personas que tengo a mí alrededor, con esta realidad, aprendo a amar incondicionalmente y a servir con lo mejor que hay en mí.

Enseñanza 17

La cultura me enseñó conceptos sumamente equivocados, y ahora estoy en conflicto constante sólo porque yo me los creí.

Escribo un ejemplo de lo que me enseñaron:

"La mejor defensa es el ataque".

Me dijeron esto y me lo creí. De esta manera, estoy a la defensiva siempre atacando a los demás por todo.

Nada más equivocado. Al defenderme y al atacar lo único que puedo lograr es acabar con mis relaciones, con mi salud, y con mis recursos.

Actuando de esta manera yo nunca he obtenido un buen resultado. No lo he obtenido porque no se puede. La agresión no tiene cómo producir un resultado de armonía y satisfacción, ya que es destructiva y sólo sabe destruir.

Y si mis resultados no son buenos, ¿Por qué tercamente sigo utilizando recursos tan primitivos y bárbaros? Porque no lo puedo evitar. Mi mente ya está grabada con esa información y me hace reaccionar de acuerdo a ella.

Estoy programado como un robot que responde en automático a cualquier provocación.

¿Eso quieres en tu vida? , ¿Te gusta vivir así? Si no es así, necesitas hacer algo, porque esa programación no se borra sola. Necesitas reprogramar la mente con nueva información que sustituya a la anterior.

Si ya sabes que la información que hasta ahora has usado no sirve, prueba con esta nueva, y observa los resultados. Verás la diferencia:

"La mejor defensa es no atacar".

Cuando alguien me agreda le respondo con una sonrisa y una frase amable, comprendiendo que esa persona por ahora no tiene cómo actuar de una mejor manera.
Pero yo sí la tengo, y decido dar lo mejor de mí siempre. Así neutralizo cualquier agresión que se me presente.

Enseñanza 18

Los seres más indefensos del universo son los bebés. Es la única criatura que existe que, sin la ayuda de alguien, no puede sobrevivir.

Un bebé humano no tiene posibilidad alguna de sobrevivir por sí mismo, a diferencia de algunos animales.

Sin embargo, la tasa de mortandad más baja que hay es precisamente la de los bebés. Aunque son tan indefensos, es muy poco probable que un bebé muera, a menos que sea por enfermedad.

¿Por qué sucede esto?
Porque tienen a sus padres que van a ver por él antes que nada, y que están conscientes de su fragilidad.

Nosotros también tenemos a nuestro Padre Celestial viendo por nosotros en todo momento.

Cuando dejamos de luchar contra la vida y de hacerle resistencia, nos hacemos correspondientes con ser protegidos por las fuerzas del universo.

Cuando nos soltamos y nos ponemos en las manos de Dios, te estás haciendo correspondiente con que cuide de ti.

- Padre, me pongo en tus manos.
- Que se haga tu voluntad y no la mía.

Enseñanza 19

Cuando nosotros no conocemos el propósito que hay detrás de toda situación, entramos a juzgar, a criticar, y a sentirnos mal por los sucesos de la vida.

Cada suceso, evento, y situación tiene un propósito detrás. Nada sucede por casualidad ni por equivocación. La casualidad en el universo no existe.

Detrás de todo lo que sucede en el universo hay un profundo propósito de amor de nuestro Padre. Que sus hijos crezcan y se desarrollen para que regresen a Él.

Dios crea el universo entero para que sus hijos aprendan. El planeta donde vivimos no es otra cosa que uno de los colegios que el Padre dispone para sus hijos.

Y nuestras experiencias no son sino lecciones. Tanto nosotros como todas las personas que están a nuestro alrededor, estamos aprendiendo unos de otros.

A través de la convivencia diaria nos vemos en la necesidad de aprender a respetarnos, a aceptar las diferencias que hay entre nosotros, y amar sin condicionar.

Nadie puede aprender si no es a través de los demás.

Enseñanza 20

Para reprogramar la mente con nueva información y poder así tener una vida llena de satisfacción y alegría, hay que pensar en amor las 24 horas del día.

Y digo 24 horas porque cuando estoy durmiendo, me llevo a los sueños lo que estuve pensando durante el día.

Si todo el día pensaste en amor, tus sueños serán sueños de amor.

La herramienta para la reprogramación mental es el pensamiento, ya que está constantemente grabando o regrabando tu campo mental.

¿Cómo hago para reprogramar mi mente con información que haga mi vida más agradable?

- Piensa siempre lo mejor.- Ante cualquier situación que se presente en tu vida, tú sólo piensa lo mejor. De esta manera introduces a tu mente únicamente información de amor.

- Di siempre lo adecuado.- No digas nada con lo cual el otro se pueda dañar. Si expresas solamente lo adecuado, estás sirviendo desde tu propio amor.

- Haz siempre lo necesario.- Si lo haces, estás actuando con sabiduría frente al mundo.

Sólo hay que hacer lo que te corresponde en el universo. Ni más ni menos. Si dejas de hacerlo, estás cometiendo el error de la omisión, pero si haces cosas que no te corresponden a ti, estás cometiendo el error de la interferencia.

En estas tres frases tan sencillas está encerrada una gran sabiduría.

Enseñanza 21

Todo aquel que lleve la luz del amor encendida en su corazón, jamás encontrará sombras en su camino.

Esta es una hermosa frase de los maestros de amor. Pero ¿A qué se refiere?

A que cuando alguien se decide a vivir en el amor, siempre encontrará alegría y felicidad en su vida.

El problema es que confundimos el amor con los sentimientos y no nos queda claro lo que el amor es.

¿Qué es vivir en amor?
Renunciar absolutamente a cualquier tipo de agresión, ya sea física, verbal o mental. O sea, no hablo ni pienso mal de nada ni de nadie nunca. No juzgo, ni critico ninguna cosa que vea o que escuche.

Respetar absolutamente a todo ser vivo, así no me guste lo que hace, no me guste su forma, o sus comportamientos. Renuncio a ir en contra de sus derechos.

Cuando ya logré estas tres cualidades: dejar de ser agresivo, aceptar a los demás como son, y respetar todo cuanto existe, ahí sabré que estoy amando.

Ahí es cuando sucede la magia del amor.

CAPÍTULO II
El Arte de construir con mi palabra

No le digas al otro lo que hace mal.
Eso él ya lo sabe.
Mejor dile lo que hace bien, y le
estarás ayudando a superar lo que
hace mal.

Enseñanza 22

Siempre hemos creído que el sentimiento es algo lindo, y que lo más valioso que tiene el ser humano es el sentimiento. No es así.

El sentimiento es importante y es necesario, pero no es para nada lindo cuando se torna negativo.

Lo más valioso y más lindo que tiene el ser humano no es el sentimiento, sino el amor. Ése no se puede tornar negativo nunca, porque no tiene polaridad. Es absolutamente neutro.

El sentimiento sí tiene polaridad porque pasa de algo lindo a algo horrible muy fácilmente, cosa que no sucede con el amor.

Ejemplo:
Yo estoy sintiendo muy lindo porque me siento muy enamorado de mi pareja, pero de repente me entero que lo vieron con otra pareja y ese sentimiento lindo se torna en negativo, y ahora siento horrible.

Pasé con mucha facilidad de la alegría a la tristeza. Del entusiasmo al deseo de venganza. De la euforia a la ira.

El sentimiento tiene un propósito, y es que nos muestre la ignorancia de nuestra mente para poder así limpiarla. Una vez que ya la reconocí y me decidí a limpiar esa ignorancia, el sentimiento ya no es necesario en mí.

En ese momento dejo la dualidad del sentirme bien y mal, y lo sustituyo por una expresión constante de amor donde la característica principal es la neutralidad.

No me voy ni para un lado ni para el otro. Siempre permanezco en el centro, que es el punto del equilibrio y la neutralidad. Este es el punto de amor.

Enseñanza 23

Hay cuatro razones por las cuales los seres humanos dejamos el cuerpo físico en un proceso que llamamos Muerte.

1. Porque llegamos a lo que conocemos como vejez, donde se agota la energía del cuerpo físico, y nos vemos en la necesidad de que se disuelva ese cuerpo para sustituirlo por otro nuevo, y continuar nuestro aprendizaje.

2. Porque nuestro ego llega a un estado que llamamos cristalización, donde su rigidez es tal que deja de aprender. A estos los conocemos como persona poste. Es la típica que vas a oír decir "Yo así soy y no pienso cambiar". Ya su ego cristalizado no le permite seguir aprendiendo y se requiere disolverlo para generar un cuerpo nuevo.

3. Porque decidió abandonar su experiencia y optó por el suicidio.

4. Porque ya logró su objetivo de aprender lo que venía a aprender. En ese caso deja su cuerpo físico para continuar su proceso y seguir avanzando.

Hablemos de este último:
Una cuarta parte de la población no está en la Tierra cumpliendo un destino completo. Está en la Tierra tomando solamente una materia que tiene pendiente.

Pongamos de ejemplo a un muchacho que requiere inscribirse en la Universidad, pero detectan que tiene una materia pendiente de la preparatoria que no ha aprobado. No es posible que se inscriba así en la universidad.

Por lo tanto, toma un cuerpo para aprender solamente eso que tiene pendiente, y una vez que lo aprende, lo deja.

Estas son todas las muertes inesperadas en personas jóvenes. Son las que más nos estrujan y las más dolorosas ya que nos toman totalmente desprevenidos.

El sufrimiento que sentimos es normal ya que somos humanos, pero cuando logramos comprender que nuestros seres queridos que se han ido, han logrado su objetivo y están ascendiendo a niveles más altos, podemos descansar nuestro corazón.

Lejos de verlo como un suceso dramático, podemos decir "Misión cumplida". Siempre te amaremos, agradecemos profundamente tu presencia en nuestras vidas, estarás en nuestro corazón eternamente. Continúa tu camino.

Enseñanza 24

Una de las herramientas de amor de las que tanto hablamos es la del actuar, la acción.

Pero, ¿A qué nos referimos?
La acción es aprender a actuar en el mundo físico, pero actuar de una manera con calma. Ni siquiera sabia, sólo calmada.

Acción es todo lo que tú eres capaz de hacer con calma. Sin agresiones, y haciendo lo mejor que tú sabes hacer, aun equivocándote.

Algo que tú haces con calma es una acción. Algo que haces en un proceso automático, es una reacción.

Lo que haces en acción es un proceso decidido por ti. Aun equivocándote es una Acción.

Necesitamos aprender a actuar, no a reaccionar.

¿Cómo se actúa?
Aquí, donde la vida me colocó, con las personas que tengo cerca, con los elementos que tengo a la mano. Ése es mi campo de acción y es donde puedo actuar.

Dando lo mejor de mí, con una sonrisa en el rostro, sin condicionar nada, siempre dispuesto, con entusiasmo y alegría. Así se actúa.

Esto es servir con amor.

Enseñanza 25

Nadie nunca te ha hecho a ti ningún daño. Has sido tú quien interpretando los errores que los demás cometen, pudiste hacerte daño solo.

De igual manera, tú nunca le has hecho daño a nadie. Si cometiendo un error, el otro se ofendió o se dañó, eso es derivado de su ignorancia, no de tu error.

El error es la herramienta más valiosa que tenemos para aprender, para desarrollarnos, para crecer y para descubrir el principio de amor en ti.

Permite el error en tu vida, y sobre todo en las personas que están a tu alrededor. No las juzgues, critiques ni agredas. Solo acéptalo, pero deja que cada quien asuma el resultado de ese error, para que puedan aprender de él. No lo asumas tú si el error no fue tuyo.

Nadie comete errores por gusto. Si nos equivocamos es porque estamos aprendiendo. No culpes ni te culpes. Solamente aprende lo que la vida te enseña.

Enseñanza 26

Una mente flexible siempre está abierta para aprender algo nuevo.

Una mente rígida está totalmente cerrada. No le entra nada.

¿Qué es la mente rígida? Esa persona que te dice "Pues yo así soy", o "A mí nadie me cambia", o "Si no les gusta es su problema, yo no pienso cambiar".

Esa persona ya no está aprendiendo nada. Su mente está totalmente cristalizada.

Si el propósito de vivir la vida es precisamente que aprendamos, y esa persona ya no está aprendiendo, ya su vida no tiene sentido.

En ese momento ya su experiencia en el mundo sólo sirve para una cosa, que los demás aprendan de él, ya que se convierte en un entrenador para los que están cerca.

Una persona rígida es muy molesta. Su rigidez no le permite convivir armónicamente con nadie. Por lo tanto, las personas a su alrededor la pasan muy mal.

La convivencia con él las lleva a desarrollar herramientas muy valiosas como la tolerancia, la paciencia, el respeto, la aceptación.

Por lo tanto el rígido ya no está aprendiendo, pero sí los que están a su alrededor.

Mantener una mente flexible, abierta y dispuesta a recibir y a hacer cambios, siempre te permitirá seguir aprendiendo, que es de lo que se trata la vida.

Enseñanza 27

La verdad no puede enseñarse. Yo la puedo conocer, pero no la puedo enseñar. Cada quien la tiene que reconocer por sí mismo.

La herramienta que te lleva a reconocer la verdad se llama error. No podemos evitar el error, es necesario.

De hecho, el camino que nos lleva hasta nuestro Padre lo vamos descubriendo a través del error. Mientras más errores se cometen, más oportunidades de aprender.

Cada vez que aprendo de un error que cometí, tengo un nivel de sabiduría interior. Ya no lo vuelvo a cometer. Ese es el camino a la sabiduría.

Entonces, ¿Cuál es el problema de sentirnos mal con los errores de los demás, o de los nuestros? El problema es una interpretación mental falsa.

La culpa es de los más grandes limitantes que tenemos los seres humanos. Mientras no salgamos de la culpa a nivel mental, somos prisioneros. No somos libres.

Conociendo esto, de ahora en adelante, cuando cometa un error me diré: "Hago lo mejor que puedo, pero me puedo equivocar". "La próxima vez lo haré mejor". Y me dispongo a observar qué es lo que puedo aprender.

Y si el que comete el error es el que está cerca de mí, le puedo decir: "Tienes derecho a equivocarte, y jamás te sientas mal por eso". "Dame tu mano y te ayudo a levantarte".

Enseñanza 28

¿Qué tiene de difícil observar a una persona que está cometiendo un error, y simplemente mirarlo amorosamente y decir "tiene derecho a equivocarse para aprender"? Él no me está haciendo nada a mí.

¿Qué tiene eso de difícil? Es de lo más fácil.

Lo que pasa es que reaccionan mi ego, mis creencias, y mis limitaciones.

Mi ego entra a criticar, a juzgar, y a condenar el error que el otro está cometiendo. Ahí yo ya me equivoqué. Ya cometí un error más grande que el del otro.

Mi mente me dice que es difícil lo que es fácil. Puede ser que me falte entrenamiento o que yo no sepa cómo ver amorosamente esto, pero difícil no es.

- Desde la ignorancia yo critico y juzgo.

- Desde la ignorancia me enojo y agredo.

- Desde la ignorancia culpo e intento cambiar al otro.

Eso es lo que puede hacer la ignorancia.

- Desde el amor yo comprendo que el error es necesario para aprender.

- Desde el amor comprendo que nadie se equivoca por gusto con la intención de equivocarse.

- Desde el amor le doy la mano al que se equivocó y lo ayudo a levantarse.

- Desde el amor yo agradezco los errores que he cometido en mi vida porque de ellos he podido aprender.

Eso es lo que puede hacer el amor.

Enseñanza 29

No hay nada más abundante que el universo. Dios dispuso el universo entero para que nosotros sus hijos disfrutemos y aprendamos de él.

Si yo vivo con limitaciones en mi vida es porque no sé cómo acceder a esta abundancia. Eso no es culpa de Dios ni de nadie. Soy yo quien no sabe cómo hacerse correspondiente con esta abundancia.

En mi mente están las limitaciones que me tienen en escasez. Son mis creencias las que no me permiten disfrutar de todos estos recursos.

Cuando yo me hago consciente de que mi mente está llena de contaminación adquirida a lo largo de mi vida a través de la cultura y la sociedad, me dispongo a hacer un cambio para limpiar esta contaminación y sustituirla por información de amor.

Es ahí donde me hago correspondiente con vivir una vida feliz y llena de satisfacción, y donde puedo acceder a toda esa abundancia que mi Padre dispuso para mí.

Es ahí donde mis relaciones se convierten en relaciones de amor, mi salud es extraordinaria, mi adaptación a todo el ambiente es muy buena y vivo en abundancia total.

Es a través del amor como yo empiezo a fluir con el orden del universo y convierto mi experiencia de vida en algo extraordinario.

Enseñanza 30

Si aspiramos a tener excelentes relaciones necesitamos empezar a valorar lo que nos une, y quitarle valor a lo que nos separa.

Los conceptos, los gustos personales, las creencias individuales nos separan.

Los propósitos comunes nos unen.

Si yo aspiro a compartir satisfactoriamente con otras personas, necesito darle mucho más valor a lo que nos une, y no a lo que nos separa.

Hay tres tipos de parejas:

- Las que se separan porque no se aguantan.
- Las que se aguantan sin poderse separar.
- Las que son felices compartiendo.

Las dos primeras se llaman relaciones de destino. No son agradables y tienen la finalidad de que yo aprenda. Ahí lo que estoy valorando es mi propósito individual, o sea, lo que nos separa.

La última se llama relación de amor. Es muy agradable y tiene la finalidad de que crezcamos juntos compartiendo. Ahí lo que estoy valorando es nuestro propósito común, o sea, lo que nos une.

Enseñanza 31

¿Por qué frecuentemente, por más que lo intento, no puedo evitar el conflicto en mi vida?

Trato de esforzarme por expresar mi amor solamente, pero en lo que me doy cuenta ya me disgusté con alguien, ya juzgué sus comportamientos, o me veo queriendo cambiar las situaciones y a las personas.

O peor aún, sigo culpando a los demás por lo que sucede en mi vida haciendo papel de víctima.

Parecería ser que no lo estoy logrando y me desanimo. Aunque pareciera sencillo, se me está complicando.

Todo esto es porque mi mente está llena de información falsa que limita mi expresión de amor.

Una mente contaminada no tiene posibilidad alguna de expresar amor. Solamente una mente pura puede hacer eso.

Yo te diría que no te preocupes. Somos humanos todavía y estamos aprendiendo. Mi mente no se contaminó en un día y no se va a limpiar en un día tampoco.

Si cada día avanzas un paso, poco a poco tendrás un gran camino recorrido.

No confundas un problema con un proceso. Son muy diferentes. Los problemas tienen solución y los procesos tienen terminación.

El desarrollo espiritual no es un problema. No lo vayas a ver así. Es un proceso que no tiene solución. Terminará cuando ya hayas llegado al final del camino.

Tampoco veas como problema a los demás. Están en ese mismo proceso donde vamos a cada paso aprendiendo un poquito, sustituyendo la ignorancia por sabiduría.

Estás avanzando. Disfruta ese camino maravilloso de aprendizaje y crecimiento en lugar de sufrirlo.

Enseñanza 32

¿Si siempre hiciéramos lo que nos gusta, lo que disfrutamos, lo que para nosotros es sencillo, qué aprenderíamos?

No aprenderíamos nada, porque estaríamos haciendo sólo lo que ya sabemos hacer. Todo lo que no me representa ninguna dificultad es porque es algo que yo ya aprendí a hacer en algún momento. A esto se le llama misión.

Por lo tanto, si yo me enfoco en mi misión, no estoy avanzando. No estoy aprendiendo nada nuevo.

Lo que a mí me lleva a evolucionar, a avanzar en este desarrollo espiritual, no es mi misión, sino mi destino, que es lo contrario.

Mi destino es lo que no sé hacer. Lo que me falta por aprender, y por lo tanto, es lo que me cuesta trabajo.

Muchas veces queremos evitar el destino por la dificultad que representa, pero estancamos nuestro proceso evolutivo.

El destino hay que aprovecharlo, no evitarlo. Es la herramienta más poderosa que tenemos para llegar a nuestro Padre, que es de donde salimos, y hacia dónde vamos.

Aprovecha cada dificultad que la vida te presenta, y en lugar de verla como un problema, acéptala como una gran oportunidad para tu crecimiento.

Enseñanza 33

La cultura nos enseñó que pensar en uno mismo es egoísmo, y eso es una creencia falsa. Es una limitación que me genera bloqueos.

Nos dijeron que había que pensar siempre primero en los demás. Pensar en uno mismo no es egoísmo, se llama Auto-Valoración.

Consideremos algo:
Es inútil pensar en los demás mientras yo no haya sido capaz de hacer algo por mí.

¿Qué les puedo yo ofrecer a los demás si no he pensado en mí? Les voy a ofrecer mis tristezas, limitaciones, depresiones, miedos y mis angustias.

¿No será mejor que yo les ofrezca mi valoración, serenidad, capacidad de servicio, felicidad, entusiasmo y mi alegría?

Pero, ¿Cómo les ofrezco esto si no lo tengo?
Para poder ofrecer algo, tengo que tenerlo. Y para tenerlo necesito primero pensar en mí.

Cuando te llenes de amor, de paz, de sabiduría, tendrás mucho para ofrecer a los demás.

El egoísta es aquel que piensa "Yo soy muy fácil de complacer cuando todo se hace como yo digo". Sin embargo, el que piensa "Yo soy capaz de ser feliz por mí mismo", ese no es egoísta. Es sabio.

Enseñanza 34

Para poder desarrollar una excelente relación de pareja, necesito primero aprender a amarme.

Cuanto más me ame yo, menos amor necesito del otro.

Si yo no necesito amor del otro, me voy a relacionar con él por las razones adecuadas.

Voy a estar con él o con ella por la dicha de compartir nuestras vidas, y no por mi miedo, inseguridad, o frustración.

Las mejores parejas son las que están juntas por amor, no porque necesiten uno del otro.

Sólo siendo feliz yo por mí mismo, puedo ser una excelente pareja. De lo contrario, soy una carga.

Una persona que es feliz, es feliz con el otro y sin el otro. Si está conmigo, perfecto. Pero si se va, no se lleva mi felicidad con él.

Para esto necesito primero trabajar en mí. Descubrir mi potencial enorme que tengo para amar. Reconocer todas mis virtudes, valorarme y aceptarme, agradeciendo todo lo que soy.

Una vez que yo descubra todo lo que soy, me lleno de amor. Y una vez que me lleno de amor, estoy preparada para compartir con el otro desde amor.

Sólo así puedo compartir mi alegría, mi entusiasmo, lo mejor de mí. De lo contrario estoy compartiendo mis miedos, inseguridades y frustraciones.

Enseñanza 35

Con frecuencia criticamos a los demás y los desvaloramos porque nos parece que no tienen personalidad. No tenerla parece un defecto, pero es una virtud hermosa.

Lo mejor que le puede suceder a un ser humano es dejar la personalidad totalmente para sustituirla por una expresión de amor.

La personalidad está formada en base a mi ignorancia, y es parte de mi ego.

Es necesaria en mi vida para que yo cometa errores y descubra el amor. Esta misma es la que me confronta con los demás y me mete en problemas.

Una vez que ya reconocí el amor en mí, la personalidad no es necesaria, desaparece y se disuelve.

En ese momento sucede algo maravilloso: Se despierta mi conciencia llena de luz para darle paso al principio de amor. Transmuté mi ignorancia en sabiduría.

Cuando estoy en ese punto, no hay posibilidad alguna de sufrimiento en mi vida. Sólo de experiencias de gozo y satisfacción.

Enseñanza 36

Escuchamos mucho hablar de la conciencia, pero a veces no entendemos qué es.

Para empezar, tenemos que comprender la diferencia entre consciencia y conciencia.

Consciencia con sc significa el conocimiento inmediato que yo tengo de mí mismo. Es un estado de la mente. Estar consciente o inconsciente.

Conciencia con c es el hijo de Dios dentro de mí, de la misma esencia divina, pura y perfecta del Padre, que está creciendo y tomando información.

La conciencia es lo que yo realmente soy. Yo no soy ni el cuerpo físico, ni tampoco soy el archivo mental. Ambos los utilizo para poder vivir experiencias necesarias, para que la conciencia (lo que sí soy), aprenda.

La conciencia es inmortal, es permanente y es eterna. Es pura, es incontaminada y es incontaminable.

Está dentro de nosotros, pero por el momento duerme. ¿Por qué duerme? Para evitar que mi ego o mi personalidad la puedan contaminar.

Una vez que yo logre disolver mi ego, y transmutar toda mi ignorancia en sabiduría, mi conciencia podrá despertar para no volverse a dormir jamás.

En ese momento se despierta convertida en un maestro de luz y de amor, para continuar su camino y llegar a su origen, a donde realmente pertenece, al Padre Celestial, creador de todo cuanto existe en el universo.

Enseñanza 37

Todos, sin excepción tenemos algún nivel de comprensión dentro de nosotros. Es decir, de sabiduría. Unos más y otros menos, pero todos la tenemos.

Una persona que ya se interesa en un proceso de desarrollo espiritual es porque ya tiene acumulada más sabiduría que quien no se interesa.

Esta persona ya tiene lo necesario para poder hacer una limpieza mental. Ya está en su momento de empezar a hacerse consciente.

Podemos observar que hay muchísimas personas a las que no les interesa ningún proceso de desarrollo espiritual. Tienen derecho, están en su experiencia. Aún no es su momento. Es necesario respetarlos.

Lo importante es que yo trabaje en mí. Los demás lo harán en su momento. Tratar de convencerlos o de darles información que no han pedido, es irrespetarlos. Es falta de amor.

El desarrollo espiritual es un proceso individual. Aunque convivamos unos con otros, no todos estamos en el mismo nivel.

No por eso vayamos a creernos más que los demás. Eso sería un error. No lo somos. Simplemente todos estamos en distinto momento.

Enseñanza 38

En la medida en que yo voy avanzando en mi desarrollo espiritual, mi sufrimiento se va desvaneciendo porque voy desarrollando la comprensión, y dejo de luchar por cambiar a nada ni a nadie.

Eso genera que mi energía vital se eleve, y pueda conectar la luz que hay en mí. Cuando tengo luz, yo puedo actuar desde mi sabiduría. Cuando tengo luz, puedo despertar mi intuición y captar información del universo en directo.

Lo más importante que tengo es mi energía vital, pero sin saberlo, la desperdicio constantemente. Los conflictos mentales, la vergüenza, la culpa, la ira, el rencor, el resentimiento, la no aceptación, son consumidores de energía vital tremendos.

Al perder energía caigo en estados de penumbra y oscuridad (depresivos), y entonces me hago correspondiente con situaciones de ese mismo nivel, ya que los atraigo a mí a través de frecuencias vibratorias.

Por hoy me propongo cuidar de mi energía vital como si cuidara de mi tesoro más grande. Me repito constantemente:

- Mi paz es imperturbable.
- Mi felicidad es constante.

No sufro por nada ni por nadie ya que reconozco que todo lo que sucede siempre es perfecto.

Enseñanza 39

¿Qué necesitaría hacer si en este momento decido ser totalmente feliz y no volver a sufrir más?

Necesitaría disolver el ego por completo. No dejar rastro de él. Y esto es posible, aunque no lo crea.

El ego tiene un propósito, no está en mí por casualidad. Sirve para que yo reconozca mi ignorancia y me decida a salir de ella.

Una vez que ya hice esto, el ego ya no me sirve para nada, y lo puedo eliminar. Sin ego, no hay sufrimiento alguno. Mi vida se convierte en una experiencia de alegría constante.

Y ¿Cómo se disuelve?, ¿Cómo termino con él?
Pensamientos puros.
Pensar solo lo mejor de todo. Cero resistencia a nada ni a nadie.

Aceptar que todo cuanto existe y sucede es perfecto y necesario para quien lo vive. Aceptar a las personas como son, sin intentar cambiarlas. Dejar de luchar con la vida.

Cuando suelto la lucha y la resistencia, entro en estados de felicidad constante. Ya nada más puede perturbarme ni hacerme sufrir.

Enseñanza 40

No des por cierta ninguna información, a menos que la hayas verificado.

Dar por cierto todo lo que nos dijeron es lo que nos llenó de creencias falsas que limitan tanto nuestras vidas.

Nada de lo que te digan te lo creas. Tampoco lo deseches. Simplemente disponte a verificar la información que recibes.

Nuestra mente está llena de información que nos vendió la cultura, y que yo la creí. Yo no sé si esa información es cierta o falsa, pero la guardé en mi mente como cierta, sin serlo.

Como creo que es cierta, yo no hago nada para cambiarla, porque "Yo ya sé". Como creo saber, si esa información no coincide con la de los demás, los que están mal son ellos y quiero que cambien.

Eso es un generador de conflicto constante en el ser humano. Querer cambiar a los demás porque creo que están equivocados.

Siempre creo tener la razón, y no me doy cuenta que ellos piensan lo mismo.

Tener la razón no me sirve de nada. Sólo me aleja de las personas que quiero.

Enseñanza 41

Si tu alegría depende de cómo te traten los demás y de lo que piensen de ti, eres un prisionero espiritual. Estás limitado por tus miedos.

La libertad de manera externa no existe, porque siempre dependemos unos de otros. Forzosamente nos necesitamos entre todos para que el mundo funcione.

Pero internamente sí existe, y se da cuando yo logro estar feliz y en paz, independientemente de lo que afuera de mí suceda.

No se puede hacer relaciones desde mis limitaciones. Tampoco se puede educar una familia así. ¿Qué les comparto? Nada bueno.

Sólo a través de la libertad yo puedo amar. Sólo teniendo independencia espiritual puedo servir y dar lo mejor de mí.

Enseñanza 42

El 100% de los seres humanos que habitamos este planeta estamos llenos de traumas, y no lo sabemos.

Unos los tenemos más grandes, y otros más pequeños. Unos tenemos muchos, y otros pocos. Pero siempre están con nosotros limitando nuestras vidas.

El trauma es una señal de alerta que instala tu instinto en la mente, con la intención de defenderte.

Se instalan en fracción de segundos, y te van a acompañar el resto de tu vida, a menos que hagas algo para desinstalarlos.

Se localizan en la parte subconsciente de tu mente, que es un sistema totalmente irracional.

No eres consciente de que los tienes hasta que un suceso te lo activa y se conectan tus miedos en automático.

Tú no sabías que tenías problemas con las alturas hasta que de repente estás en la terraza de un edificio, en el piso 20, y te paralizas de miedo.

No lo puedes controlar. Se te va el aire. Ese terror que sientes conectó el trauma, que no sabías que tenías. Y no lo hubieras sabido si no te enfrentas a las alturas.

Los traumas limitan nuestras vidas, dañan nuestras relaciones, dañan nuestra salud, nuestra economía y nuestra paz. Nos llenan de miedo.

Lo primero que necesito es hacerme consciente de él para entonces poderlo trabajar. Si no lo conozco, no hay nada que pueda hacer con él, más que ser víctima de sus consecuencias.

Enseñanza 43

El nacimiento del maestro Jesús en nuestro planeta tuvo lugar en base a un propósito de amor muy grande de nuestro Padre.

Detrás de su nacimiento hubo un plan perfectamente diseñado por las más altas jerarquías e inteligencias del universo.

La intención era dejar un mensaje de amor en cada uno de nosotros, que nos trajera Luz y nos iluminara el camino de regreso a casa.

Después de tantos años, ese mensaje sigue vivo. Nosotros no hemos logrado comprenderlo del todo, pero en él está englobada toda la sabiduría del universo.

"Buscad el Reino de Dios dentro de vosotros, y lo demás se os dará por añadidura". Este es uno de los más grandes mensajes que nos dejó, pero no lo hemos entendido.

Buscamos afuera lo que está adentro. Esperamos encontrar afuera la felicidad y eso no va a suceder.

"Busca el amor dentro de ti". Por lo externo no te preocupes, eso sólo se acomoda.

Decídete a amar y a servir. Todo cambio que hagas en tu interior te traerá inmediatamente, por correspondencia, un cambio en tu exterior.

"No lo creas, verifícalo".

CAPÍTULO III

La fuerza del error

El libre albedrío con el cual todos
los seres humanos nacemos, no es
otra cosa que la facultad
para cometer errores.

El error es la poderosa herramienta
que utiliza el universo para que
aprendamos.

Enseñanza 44

En la medida en que yo voy avanzando en mi desarrollo espiritual, la vida me parece cada vez más sencilla y más disfrutable.

Esto es porque mi destino se va haciendo pequeño, y las experiencias que ahora me corresponden vivir, son cada vez más sencillas.

Todos nacemos con un destino predeterminado que fue diseñado por maestros. Ese destino es mi plan de vida y es un plan pedagógico. Trae grabadas las experiencias que yo necesito aprender en esta vida.

En la medida en que yo voy aprendiendo, pues el destino se va haciendo cada vez más pequeño hasta que llega a desaparecer por completo.

En ese momento, mi vida se convierte en una experiencia maravillosa. Sigo aprendiendo y desarrollándome, pero sin sufrimiento alguno. Sólo tengo satisfacción y alegría.

Para que esto suceda, yo necesito terminar con el destino. Y no lo voy a hacer más que aprovechando las dificultades que la vida me presenta, y aprendiendo de ellas.

Al destino no hay que sacarle la vuelta. Hay que aprovecharlo. De esta manera podemos llegar a deshacernos de él.

Enseñanza 45

¿Cómo quieres que tu vida cambie, si no haces nada al respecto?

Las cosas no cambian solas. Para que los cambios se den, yo tengo que hacer algo.

Sólo que siempre cometemos el mismo error. Queremos cambiar lo de afuera cuando los cambios se hacen adentro.

Normalmente pierdo mucha energía y me desgasto en la lucha por cambiar lo que afuera no me gusta.

Quiero que los demás cambien para que se adapten a mí. Quiero que cambien los sucesos, los gobiernos, las sociedades.

Este es un ejercicio inútil que no sirve para nada, y solo me aleja de las personas que quiero. Así no se hacen los cambios. Así se hacen las guerras, las peleas y los conflictos.

Soy yo el que tengo que cambiar. Al cambiar yo, lo de afuera cambia sólo. Así funciona el universo.

El universo está matemáticamente regido por Leyes que ordenan el funcionamiento de todo lo que sucede y existe.

La Ley de Correspondencia es la que determina esto. Cuando yo hago un cambio en mí, cambio de correspondencia y se modifica mi entorno.

No es necesario luchar para cambiar nada. Hazte correspondiente con situaciones mejores en tu vida.

Enseñanza 46

El defecto que tú veas en otra persona, te muestra claramente la limitación mental que tienes para aceptar un comportamiento diferente al tuyo.

Es decir, todo lo que a ti te molesta del otro te está mostrando una limitación tuya, algo que no aceptas. Si lo aceptaras, no te molestaría.

Cuando a ti te molesta algo es porque no lo aceptas, y si no lo aceptas es porque no lo comprendes.

Si juzgas el comportamiento del otro como malo, lo estás haciendo desde tu ignorancia.

Es más ignorante el que juzga el error del otro, que el que lo comete.

Nos dijo el maestro Jesús: "Veis la paja en el ojo ajeno y no veis la viga en el vuestro".

Digamos que el error que alguien comete es una pequeña paja, mientras que mi limitación al no aceptar ese error, al juzgarlo, criticarlo y condenarlo, es una viga gigantesca.

Enseñanza 47

Todos los seres humanos siempre estamos en la búsqueda de algo.

¿Qué buscamos?
- Tener una familia armónica
- Tener salud
- Éxito económico
- Reconocimiento
- Una buena relación de pareja
- Conocer el mundo
- Desarrollarme profesionalmente
- Agradar a los demás
- La paz para todos
- Que no haya injusticia
- Etc.

La lista puede ser muy larga. En realidad todos en el fondo estamos buscando siempre lo mismo.

"Estamos buscando ser felices".

No existe una sola persona que tenga un propósito diferente. A pesar de buscar tanto, siempre encontramos algo:

"Yo todavía no sé cómo ser feliz"

¿Y qué aprendo de esto que encuentro?
Aprendemos muchas cosas, y después de estar aprendiendo llegamos a una conclusión:

"Que el amor es el eje de todo, alrededor del cual gira todo el universo".

Aprendemos la necesidad de auto-conocernos. Y principalmente, aprendemos a fluir.

Al buscar, encontramos que no sabemos. Al encontrar que no sabemos, descubrimos que existe una ley que no conozco. Conocer esa ley es la herramienta de la liberación. Aprendo a fluir.

Enseñanza 48

Todos los seres humanos tenemos la capacidad de traer a nuestra mente la información de un mundo de amor.

Sin embargo, hemos elegido la del miedo. ¿Por qué sucede esto?

Dentro de nosotros actúan simultáneamente nuestros valores y nuestras limitaciones. La luz y la oscuridad. La sabiduría y la ignorancia. El amor y el miedo.

Lo que más usamos se fortalece, y se impone a lo que usamos menos. Siempre es así; lo que usas lo desarrollas y lo haces fuerte. Lo que no usas se debilita.

Las dos informaciones están dentro de mí, pero ¿Cuál he fortalecido? Esa es la que está controlando mi vida.

¿Cómo la he fortalecido que ni cuenta me he dado? Pensando. Se fortalece pensando.

Observa tu pensamiento y aprende a pensar. Hazte consciente de él. Dirígelo a pensamientos lindos, en lugar de permitir que él te dirija a ti.

Enseñanza 49

Cuando yo sufro es porque tengo creencias.

Cuando yo tengo miedo es porque tengo traumas.

El miedo no es racional, la creencia sí lo es.

Estos son los dos sistemas limitantes que están instalados en el ser humano.

La mente tiene grabada tres tipos de información muy diferente una de otra:

- El sistema de creencias.
- El sistema de defensas.
- La comprensión de amor.

Los dos primeros sistemas son los que nos limitan y nos tienen sufriendo y en miedo.

De eso se trata el desarrollo espiritual, de limpiar estos dos sistemas limitantes, y así convertirte en maestro.

Para eso necesitas de la comprensión, que es el tercer sistema.

Enseñanza 50

Los padres son quienes deciden servir de canal para que un espíritu, hijo de Dios, tome un cuerpo físico y venga a tomar información de los mundos físicos.

Mientras se está formando ese bebé, vive exclusivamente por la madre. Tiene la energía de la madre, el oxígeno y alimento de la madre. Hasta que ese bebé termina su gestación y llega su nacimiento, entra la chispa divina en él para animarlo.

Un bebé no tiene la más mínima posibilidad de sobrevivir por sí solo, como lo pueden hacer algunas de las especies de otros reinos. Sin los padres, y especialmente la madre, ese bebé moriría.

La labor de los padres es enorme. Apoyar a ese espíritu a que crezca para que pueda integrarse a una sociedad de manera sana y armónica es un ejercicio que requiere constancia, paciencia, servicio y amor.

Dios pone a sus hijos en sus manos para que los orienten y los guíen, y para que les muestren el camino de regreso a Él.

Enseñanza 51

Si has decidido hacerte consciente de tu vida, tomar el control, y dejar de vivir en automático, has tomado una gran decisión.

Lo que yo deseo para ti es:

- Que cada suceso en tu vida, así sea sencillo o complicado, lo sepas aprovechar para aprender de él.

- Que sepas asumir el resultado de tus decisiones, y no culpes a nadie de lo que tú sientes o de lo que sucede en tu vida.

- Que logres desarrollar la paz y la felicidad en tu interior, y permanezca en ti como algo continuo.

- Que si volteas a ver a alguien hacia abajo sea porque le vas a dar una mano y lo vas a ayudar a levantarse.

- Que el aceptar a los demás como son se convierta en un hábito en ti, y dejes por completo de querer cambiar a nadie.

- Que tu mente logre salir del pensamiento negativo y se acostumbre sólo a tener pensamientos de amor y de satisfacción.

- Que el amor en ti se haga cada vez más grande, y el miedo cada vez más chico. Que la expresión de amor sea algo constante en tu vida.

- Que tu palabra la sepas usar sólo para hacer sentir bien a alguien, o para conciliar una situación. Nunca para hacer juicios ni críticas.

- Que sepas soltar. Que los apegos vayan desapareciendo y te conviertas en un ser libre. Que te sueltes a la vida, y sueltes a los demás a la vida.

- Que tus relaciones sean de amor. Que el compartir armónicamente te lleve a vivir en plenitud, y desde la libertad te sepas unir con los demás.

Es mi deseo que logres la condición de discípulo de amor. Que te hagas consciente de tu desarrollo y dejes de vivir en automático.

Cuando lo logres, habrás dado un salto cuántico muy importante, que te acercará a tu Padre. A ese espacio de amor absoluto que espera por tu regreso.

Enseñanza 52

No des nada de lo que veas o escuches como cierto. No lo creas. Sólo escúchalo.

Verifícalo en tu vida primero. Sólo tú podrás saber, después de verificarlo, si eso que viste o escuchaste es verdad o es falsedad.

Lo que sea falso, deséchalo. Y lo verdadero hazlo parte de ti, de tu actuar diario.

¿Cómo reconozco lo que es verdadero de lo falso? Por los resultados. Si eso deja satisfacción en mí, y en mi entorno, está sustentado en la verdad. Si por el contrario deja insatisfacción, es falso. Así de sencillo.

Hay que hacer que la verdad sea parte de ti mismo, para que se convierta en la que rige tu comportamiento diario.

Si tú te relacionas con los demás a través de la verdad en ti y no de tu ignorancia, tus resultados siempre, siempre, siempre, serán de satisfacción y de armonía.

Enseñanza 53

Cuando empiezas a vivir en el amor, empiezas a fluir con la vida de una manera armónica, ya que dejas de luchar o de hacerle resistencia a nada o a nadie.

En ese momento, a tu vida entran sólo personas y situaciones armónicas que son correspondientes con tu nivel de amor.

Las situaciones que enfrentas te seguirán enseñando, pero ya no a través del sufrimiento, sino a través de la observación.

Tu vida se convierte en una experiencia de gozo constante. Te llenarás de paz y de felicidad. Ya nada podrá perturbarte.

Dejas de preocuparte o sufrir por los demás porque ya has comprendido que eso no le sirve a nadie. Por el contrario, ves perfección en todo lo que sucede.

Te levantas todas las mañanas agradeciendo por tu maravillosa vida, y en lugar de expectativas, tienes un deseo enorme de servir a los demás.

Sentirás latir el corazón del universo completo dentro de ti, y te llenarás de gozo al comprender que eres parte de esa divinidad maravillosa de amor.

Expresarás el amor a cada paso de tu camino. Cada persona con la que te topes, cada situación, la verás como una maravillosa oportunidad que se te presenta para crecer más en amor.

Sentirás un gozo enorme en tu corazón ya que sabes que es a través del amor como te vas acercando a tu Padre. Al lugar a donde perteneces. De donde saliste y a donde regresarás convertido en un ser de amor.

Enseñanza 54

¿Cómo se enciende la luz del amor en mí?

- Cuando en lugar de intentar cambiar a los demás, decido hacer un cambio en mí, para aceptarlos tal cual son.

- Cuando sin juzgarlo, le puedo dar la mano al caído y ayudarlo a levantarse.

- Cuando puedo darle al agresivo una palabra cálida y una mirada tierna que lo calme.

- Cuando puedo apoyar al enfermo y acompañarlo sin sufrir por él.

- Cuando logre hacer sentir importante a cualquier persona, sea quien sea.

- Cuando sólo piense lo mejor ante cualquier situación y cualquier persona.

- Cuando permita que los demás vivan sus experiencias sin interferir.

- Cuando pueda convivir igual con el agradable que con el desagradable, y sonreírles de la misma manera.

- Cuando pueda respetar a todo ser vivo, y amarlo independientemente de su comportamiento, de sus errores o actitudes.

- Cuando en mi boca haya siempre un "Aquí estoy para lo que necesites, cuenta conmigo, no te preocupes, dame tu mano, yo te ayudo, qué puedo hacer por ti", etc.

Ahí sabré que la luz dorada del amor está encendida en mí.

Enseñanza 55

¿Cómo saber si ya aprendí a amar?

- Cuando comprendo que cada quien hace lo mejor que puede, aunque se equivoque, y no juzgo ni critico a nada ni a nadie por sus errores, sabré que estoy amando.

- Cuando pueda respetar las decisiones, costumbres, ideas y acciones de los demás, sin querer cambiarlas o modificarlas, sabré que estoy amando.

- Cuando pueda ver en cada ser humano, sea cual sea su condición, sus costumbres, hábitos o actitudes, a un hermano o hermana, comprendiendo que todos somos hijos de Dios, y lo respeto y lo acepto sin condición, sabré que estoy amando.

- Cuando pueda servir por igual al que me gusta como al que no, y pueda apoyarlo sin poner restricciones, sabré que estoy amando.

- Cuando logre agradecer desde el fondo de mi corazón a las experiencias y a las personas difíciles que han tocado mi vida, por lo que de ellas he aprendido, sabré que estoy amando.

- Cuando pueda vivir en felicidad y paz constante, aun cuando esté en medio de situaciones difíciles y complicadas, sin perturbar mi armonía, no hay duda, ahí sabré que estoy viviendo en amor.

Enseñanza 56

¿Cómo puedo saber que mi mente ya está totalmente limpia y no queda residuo de contaminación en mí?

- Cuando despierto y siento una enorme alegría por la oportunidad de un día nuevo.

- Cuando me emociona estar vivo, mi realidad y mi experiencia de vida.

- Cuando disfruto cada una de mis actividades, cada persona con la que convivo, cada instante que se me presenta.

- Pero sobre todo, cuando veo a los demás, quien quiera que sea, con tal admiración y respeto, independientemente de cómo se comporten, y me provoca tratarlos con el mismo cariño que si fueran mis hermanos, mis padres o hijos.

Ahí puedo saber que mi mente está totalmente limpia y en mí sólo se expresa el amor.

Enseñanza 57

Desde el amor, yo puedo comprender que la vida es una maravillosa oportunidad que tengo frente a mí con un propósito: Aprender.

Desde el amor, yo puedo comprender que cada persona que toca mi vida tiene un propósito: Entrenarme o enseñarme.

Desde el amor, yo puedo comprender que lo que en mi vida sucede no es ni bueno ni malo. Simplemente son sucesos necesarios relacionados con mi destino.

Desde el amor, yo puedo agradecer cada dificultad que ha habido en mi vida, por lo que de ellas he podido aprender.

Desde el amor, yo puedo aceptar a los demás como son sin intentar cambiarlos. Respetar sus creencias y costumbres y amarlos tal cual son.

Desde el amor, puedo actuar siempre lo mejor que puedo, con todo mi entusiasmo. Dispuesto siempre a servir a los demás. Dando siempre lo mejor que hay en mí.

Desde el amor, yo puedo comprender que nadie se equivoca por gusto. Que si lo hemos hecho es porque no hemos tenido la información y el entrenamiento suficiente para hacer las cosas mejor.

Yo desde el amor puedo llevar una vida de gozo y alegría constante, comprendiendo siempre que todo en el universo es perfecto.

Esto lo puedo hacer desde el amor que hay en mí, porque éste ilumina mi mente y me permite reconocer el propósito perfecto del Padre en todo lo que sucede.

Desde la ignorancia no puedo, porque no está diseñada para comprender nada. Está creada para oscurecer mi mente y llevarme a estados de sufrimiento.

Todos tenemos dentro de nosotros luz y oscuridad. ¿Cuál es la que rige tu vida?

Enseñanza 58

No sufras por los demás. No les sirve ni a los demás, ni a ti.

Nunca nada se ha resuelto porque alguien sufra o se preocupe. Así no funciona la vida. Es un vicio que tenemos muy arraigado, que es totalmente inútil.

Lo único que se logra sufriendo o preocupándote es que pierdes cantidades enormes de energía vital. Al otro no le ayudas con eso.

Cuando tú sufres por algo, es porque no has comprendido de qué se trata la vida.

No has comprendido que a nadie le pasa algo que no sea necesario para su aprendizaje, y para su crecimiento.

Lo que para ti puede parecer malo, es buenísimo para quien lo vive, aunque no lo parezca. Puede ser difícil, pero malo no es. Es una oportunidad para crecer y fortalecerse.

Por lo tanto, en lugar de preocuparte, hay que ocuparte.

¿Cómo me puedo ocupar?
Dale tu amor y tu compañía a quien sufre. Dale información que le ayude a resolver su situación, inclusive palabras de aliento.

Resáltale lo que hace bien, aunque haya mucho que hace mal. Respeta sus experiencias. No interfieras en su proceso.

Sírvele con lo mejor que hay en ti. Pero no sufras, que eso no le sirve a nadie.

Enseñanza 59

¿Cómo me gustaría vivir el día de hoy?
¿Qué estoy dispuesto a hacer para que sea un día lindo?

Vamos a empezar con la familia y mi entorno más cercano:

- Si empecé queriendo controlar a todos, tratando de que hagan las cosas como a mí me gustan.
- Si pretendo tener la razón ante cualquier cosa que conversemos.
- Si lucho para que todos cambien y se adapten a mí.
- Si sufro por las situaciones que ellos tienen que vivir.
- Si no los respeto en sus gustos, costumbres y creencias.
- Si quiero convencerlos de que mi punto de vista es el correcto.
- Si interfiero en las decisiones que los demás tomen o evito que asuman sus vidas por miedo.

Ahí ya empecé mal el día. Ya cometí varios errores.

Ahora vamos hacia afuera, ya sea en mi trabajo, mi núcleo social o el lugar en donde vivo:

- Si me molesto con las opiniones de los demás.
- Si me duelen lo que considero injusticias.
- Si no me adapto a las circunstancias de la ciudad.
- Si critico, juzgo o agredo a los demás por cualquier situación.
- Si hago resistencia a todo lo que sucede.

Ahí ya estoy equivocándome más.

Y así le podemos seguir durante todo el día, acumulando errores. Al final del día, ya la suma es grande.

Llega la noche y con tristeza veo que no logré lo que quería. Y ahí voy a cometer el error más grande de todos.

Voy a culpar a los demás de todos mis resultados.

Enseñanza 60

Aun cuando a veces creo que ya tengo comprendido el significado del amor, de la paz, de la felicidad.

Aun cuando tengo claro la importancia del respeto, y de la aceptación en las relaciones.

A pesar de todo, me topo constantemente con elementos que en mi mente existen que me son difíciles de controlar.

Sin quererlo, en lo que me doy cuenta, ya reaccioné bruscamente ante cualquier situación, siendo agresivo o violento.

Yo no quería atacar, pero ataqué. Yo no quería responder pero lo hice. Yo no quería gritar, ni ofender, pero no lo pude controlar. Me propongo no reaccionar en automático, pero no lo logro.

¿Qué pasa conmigo?
Lo que pasa es que tienes trauma. Todos lo tenemos. No hay nadie en el planeta que se libre de él.

Unos más grandes y otros más chicos, pero están presentes en todos nosotros afectando nuestras relaciones, nuestra paz, nuestra salud, etc.

El trauma es un sistema de defensas que se instaló en tu mente en algún momento, y te va a acompañar toda tu vida. A menos que hagas algo para desinstalarlo.

A través de mi desarrollo espiritual, llego a un nivel de comprensión donde puedo desconectar las reacciones traumáticas que hay en mí. Ya no tienen ese efecto descontrolado que me afecta tanto.

Esto lo logro cuando actúo desde la luz que hay en mí, y no desde la oscuridad. Cuando mantengo mi pensamiento siempre en positivo.

Cuando pienso siempre lo mejor en todo momento, mi energía vital se eleva y entro en zonas de luz. Es ahí donde el trauma pierde su fuerza.

Enseñanza 61

Cuando no sepas qué decir, no digas nada.

Cuando no sepas qué hacer, no hagas nada.

Cuando no sepas cuál decisión es la adecuada, detente. Tómate tu tiempo.

Si te encuentras en una situación así, no te precipites. Es mejor no hacer nada, que hacer algo que va a dañar a alguien.

En este caso que no sabes qué hacer, pide ayuda a los maestros. Solicita información al Universo, y la información llegará a ti. Pide que te orienten.

Cierra tus ojos, aquieta la mente, y di: "Solicito información para resolver esta situación". Y te abres a recibir lo que el Universo tiene para ti.

La información nunca se le niega a nadie. Lo que sí no harán por ti ni los ángeles, ni los maestros, ni Dios, es venir a resolverte tu situación. Eso lo tienes que hacer tú.

Generalmente cometemos el error de pedirles a las jerarquías de Universo que vengan a resolver mi vida, cuando ese no es un trabajo que les corresponda hacer a ellos, sino a mí.

Pide información y siempre se te dará. Pide que te guíen, que te iluminen. Pero después, actúa.

Enseñanza 62

Tenerle miedo a algo es una limitación de mi mente.

Son cuatro los miedos básicos que limitan tanto al ser humano:

- Miedo a perder.
- Miedo a enfrentar.
- Miedo al abandono.
- Miedo a la muerte.

Los miedos están relacionados a los traumas que están grabados en la parte primitiva de mi cerebro. El cerebro reptil, o paleoncéfalo.

Son instintivos, por lo tanto actúan en automático, sin que yo los razone.

Los miedos me paralizan. Limitan mi vida. Dañan mi salud, mis relaciones y mi paz. Y me van a acompañar toda la vida, a menos que yo haga algo para eliminarlos.

Para empezar, necesito reconocerlos. No puedo trabajar en algo que ni sé que lo tengo.

Después necesito reprogramar la mente con información nueva de amor que me lleve a valorar las situaciones, en lugar de temerles.

Y finalmente necesito hacer un trabajo de desensibilización. Esto implica irme enfrentando poco a poco a lo que le temo, hasta lograr perderle el miedo.

Pero principalmente lo que necesito es cuidar mi energía vital, porque si desciende me voy a zonas de oscuridad y ahí no puedo eliminar el miedo. Todo lo contrario, se conecta con más fuerza.

La energía vital es la energía del pensamiento. De cómo yo pienso depende si mi mente se va a zonas de luz o de oscuridad.

Vigilar mi pensamiento es la tarea más importante de cualquier ser humano. Si mi pensamiento es positivo y de amor, aunque tenga traumas nunca se manifiestan en mí.

Enseñanza 63

El agradecimiento es una de las herramientas de amor más poderosas que hay.

Es cuando me hago consciente del valor que algo ha tenido o está teniendo en mi vida, y logro agradecerlo desde mi comprensión.

Es sumamente efectivo para la limpieza de la mente, ya que elimina los residuos de una experiencia traumática o dolorosa.

Siempre hemos pensado que se agradece sólo lo bueno que hay en la vida, pero agradecer lo difícil, es mucho más grande.

Cuando puedo agradecer los sucesos que en mi vida se han presentado, sobre todo los difíciles, la mente se limpia de los residuos de esa experiencia.

Esto es algo muy grande. Es una limpieza muy profunda que me libera de las cargas del pasado.

Cuando yo logro agradecer toda experiencia dolorosa por lo que ella me enseñó, comprendiendo que gracias a ella ahora soy más fuerte, más amoroso, más sabio, ahí estamos hablando de algo muy profundo.

Cuando puedo agradecer a esa persona difícil en mi vida, por la que tanto sufrí y lloré, desde el fondo de mi corazón, ahí estoy haciendo una limpieza muy valiosa.

Cuando puedo agradecer esa situación tan traumática a la que me enfrenté, ya que ahora comprendo que gracias a ella soy más fuerte y más desarrollado, estoy haciendo una limpieza muy valiosa.

Así se limpia la mente. Lo logro al ir comprendiendo y agradeciendo cada experiencia pasada, y llevando la luz del amor a esa oscuridad.

Enseñanza 64

Cuando hablo de la importancia que hay en trabajar con nosotros mismos para que aprendamos a expresar el amor, no me refiero a expresar como una acción del verbo.

Eso es hablar lindo. Es ser cariñoso o amable con tu palabra. Es ser dulce y cálido con tu verbo. Eso es algo hermoso, pero no es expresar amor. Es hablar lindo solamente.

A veces hablamos muy lindo, pero no expresamos amor en absoluto.

Expresar amor no tiene que ver con lo que dices, sino con lo que haces, y para esto se requiere haber hecho un desarrollo espiritual.

Entonces, ¿Qué es expresar amor?

- Cuando eres capaz de respetar al otro aunque no te guste su comportamiento, estás expresando amor.

- Cuando puedes aceptar a los demás sin quererlos cambiarlos, estás expresando amor.

- Cuando eres capaz de ver que el otro se equivocó en algo, y sin juzgarlo le das la mano y le ofreces información para que no se vuelva a equivocar, estás expresando amor.

- Cuando puedes darle la razón al de al lado, así no la tenga, estás expresando amor.

- Cuando no le pones límites a tu servicio, y todo lo que te corresponde hacer lo haces con una sonrisa, y con tu mayor esfuerzo, ahí estás expresando amor.

- Cuando eres capaz de adaptarte a tu entorno sin criticar ni juzgar a nada ni a nadie, ahí estás expresando amor.

- Cuando no agredes nunca ni en pensamiento, ni en palabra, ni en obra estás expresando amor.

Eso es expresar amor, y lo puedes hacer únicamente cuando ya soltaste los miedos, porque el amor no se manifiesta cuando está el miedo gobernando tu vida.

Suéltate a la vida. Y suelta a los demás a la vida. Sin miedos. Y darás paso al amor para que se exprese siempre en todo su esplendor.

Enseñanza 65

Nadie puede dar lo que no tiene.

No le puedes pedir a un árbol de peras que te dé una manzana. Este está diseñado para dar peras y sólo peras podrá dar. Cuando el árbol crezca y pasen los años, seguirá dando peras. Nunca dará otra cosa.

Si tiene abundante agua y nutrientes, podrá dar peras grandes, ricas y jugosas. Si no los tiene dará una de menor calidad. Pero siempre serán peras. Esto es porque es un árbol físico de la Ley de la Naturaleza. Está diseñada para eso por el Padre.

Con los seres humanos pasa lo mismo a nivel físico. Nuestro cuerpo tiene un diseño de humano y siempre será eso. Pero a nivel mental es muy diferente; ahí sí que podemos hacer cambios, y grandes. De eso se trata el desarrollo espiritual, de ir limpiando la mente para sustituir la oscuridad por luz. La ignorancia por sabiduría.

Si yo lo que tengo dentro de mí son miedos, frustraciones, inseguridad y traumas, eso es lo que les comparto a los demás. No puedo dar lo que no tengo. Pero si me hago consciente de esto, puedo trabajar en mí para hacer un cambio. Si reconozco mis limitaciones puedo empezar con el proceso de la limpieza.

Esta limpieza se logra comprendiendo el orden del universo, y aprendiendo a pensar de una manera diferente de como lo he venido haciendo antes.

Comprendiendo que todo lo que existe y sucede es perfecto para quien lo vive, que estamos aprendiendo, y que lo que veo como dificultades no son más que oportunidades para desarrollarme y crecer.

Comprendiendo que la lucha y la resistencia son un ejercicio inútil, y que los cambios se hacen dentro de mí, y no afuera.

Comprendiendo que mi pensamiento puede ser un arma muy destructiva cuando no aprendo a dirigirlo y a controlarlo. Y que pensando sólo lo mejor siempre de todo lo que sucede, yo voy accediendo a la abundancia del universo, y me voy conectando con experiencias de satisfacción.

A través de este ejercicio yo puedo soltar el miedo y la inseguridad, y puedo sustituirlos por paz, armonía, entusiasmo y un gozo constante.

Cuando trabajo en mí, llega un punto en que lo que comparto con los demás es eso: paz, armonía, entusiasmo y gozo constante. Y eso es porque es lo que único que hay en mí.

CAPÍTULO IV
Es adentro
y no afuera

Buscamos afuera lo que está
adentro.

La felicidad se consigue cuando
logras comprender
que es tu interior en lo que tienes
que trabajar.

Lo de afuera se va modificando
según tú te vas transformando.

Enseñanza 66

Existen tres principios de la sabiduría, que si te entrenas en su uso constante terminas por completo con cualquier sufrimiento en tu vida. Se disuelve el ego, y al disolverlo acabas con tu destino.

Estos tres principios parecen sencillos. En realidad lo son, sin embargo son sumamente poderosos, y dan unos resultados extraordinarios.

- Piensa siempre lo mejor.
- Di siempre lo adecuado.
- Haz siempre lo necesario.

¿Qué significa pensar lo mejor?
Primero, no suponer cosas que ni sabes.

Segundo, las cosas que sí sabes, podrías verlas de una manera positiva cuando reconoces que son necesarias. Cuando logras comprender que detrás de todo lo que sucede hay un propósito de aprendizaje, y que ese propósito te llevará a trascender las limitaciones. Cuando reconoces el valor que hay en todo suceso por difícil que parezca, ahí estarás pensando lo mejor.

¿Qué significa decir lo adecuado?
Jamás expreses ninguna cosa con la cual otra persona se sienta mal. Si no tienes nada lindo que decir es mejor no decir nada. El silencio es mucho más amoroso que la sinceridad.

Vigilar tu palabra para que sólo expreses mensajes de amor que produzcan un mejoramiento, es decir lo adecuado.

¿Y qué es hacer lo necesario?

Jamás hagas aquello que no te corresponde, porque eso es innecesario para ti, y estarías interviniendo en la función de otro, pero jamás dejes de hacer aquello que sí te corresponde, porque eso sería evadir tu propia función en la vida.

Cuando actúes, hazlo con sabiduría. Mantente siempre dispuesto a dar lo mejor de ti. Sin límites y sin condiciones. Lo que a ti te corresponda hacer, hazlo de la mejor manera que sabes. Así estarás haciendo lo necesario.

Entrenarte en el uso de estos tres principios es abrir la puerta a una vida de felicidad y de gozo constante. Es avanzar en el camino del desarrollo espiritual que te llevará de regreso a tu Padre.

Enseñanza 67

Una de las grandes frases de la sabiduría nos dice:

"Nadie pertenece a nadie. Solamente el amor puede unir a las personas".

Si yo puedo entender que no soy dueño de nada ni de nadie en el universo, y que tampoco nada ni nadie es dueño de mí, ¿Qué hago yo aferrándome a lo que no es mío?

Este es un ejercicio tan innecesario y desgastante. Aferrarme a las cosas y a las personas se acaba convirtiendo en una esclavitud muy limitante y muy pesada.

Cuando nos aferramos a las personas o a las cosas, no podemos verificar el amor. Lo que verificamos es el miedo, la inseguridad, los celos y la desconfianza.

Cuando yo puedo soltar y conceder libertad total, ahí puedo verificar el amor. Sólo él nos puede unir. Sólo desde la libertad puedo verificarlo.

Cuando alguien se ha ido de tu vida, no hay ningún problema. No es la única persona que existe para amar, puesto que el amor es universal. Puede que en este momento ya no sea más correspondiente conmigo, porque el propósito de nuestra unión ya no existe más.

Suéltalo, déjalo ir, deséale que sea feliz, agradece lo que te permitió aprender, envuélvelo en luz, y disponte a recibir lo que la vida tiene para ti.

Siempre habrá alguien más con quien puedas establecer un compromiso de amor.

Enseñanza 68

Para aspirar a una relación de amor requiero haber disuelto el ego. Desde la ignorancia del ego no se puede, porque siempre se encargará de estar metiendo la zancadilla para tenerte sufriendo. De eso se alimenta el ego, de la energía de tu sufrimiento.

Desde el ego tú vas a querer cambiar al otro. Desde el ego vas a querer tener siempre la razón. Vas a culpar al otro cuando no salen las cosas como quisieras, y vas a tratar de interferir con el destino de los demás. Eso hace el ego.

Si lo debilitamos, la posibilidad de relaciones de amor surge inmediatamente. Al debilitar al ego, la expresión de amor aparece en nosotros.

Para lograr esto, tendrás que hacer siete renuncias muy poderosas que te abrirán la puerta de las excelentes relaciones, con un alto grado de satisfacción y de alegría.

1. Renuncia a culpar a los demás. Nadie tiene la culpa de las experiencias que tú necesitas vivir.

2. Renuncia a cambiar, o a intentar cambiar a los demás.

3. Renuncia a agredir a los demás, ni en pensamiento, ni en palabra ni en obra.

4. Renuncia a sufrir por ninguna dificultad, ni tuya ni del otro.

5. Renuncia a quejarte de lo que tienes.

6. Renuncia a criticar a los demás.

7. Renuncia a huir del lugar de tu experiencia.

Con estas simples frases de renuncias acabas por completo con el ego, y das paso a las maravillosas relaciones de amor.

Enseñanza 69

Cuando una relación, ya sea de amigos, de pareja, de padres e hijos, o de cualquier tipo de relación, está sustentada en los sentimientos, puede terminar en cualquier momento.

Bastará con que la otra persona haga algo con lo que yo no esté de acuerdo, para que surja la molestia y el sentimiento se torne negativo. Es suficiente con que yo no esté de acuerdo.

Si yo no estoy de acuerdo con algo que el otro pueda estar haciendo, ese desacuerdo mío genera un sentimiento negativo en mí. Este me llevará a tomar decisiones equivocadas, basadas en mi molestia.

Acto seguido a mi molestia, lo que voy a hacer es culpar al otro de lo que estoy sintiendo, cuando él no tiene la culpa de eso. Lo que yo siento es responsabilidad mía, así sea basado en un hecho que el otro cometió.

Al agredirlo por supuesto que eso va a hacer que se genere en el otro una respuesta agresiva hacia mí. Esto nos va a llevar al conflicto, y hasta ahí llegó la relación.

Las relaciones armónicas y satisfactorias no se sustentan en el sentimiento, sino en el amor, que es muy diferente.

Por eso es que toda relación sentimental no perdura, ya que el sentimiento así como se puede ir hacia lo positivo, se puede tornar negativo muy fácilmente.

Enseñanza 70

Cuando quiero ayudar a alguien, sobre todo si ese alguien es algún miembro de mi familia, lo mejor que puedo hacer es darle información que le permita adquirir herramientas en su vida. O sea, enseñarlo a que aprenda a hacer lo que necesita, pero después de eso, soltarlo para que las pueda poner en práctica, y las experimente.

Me cuesta trabajo porque normalmente lo que quiero es hacer las cosas por ellos. Mi ego me dice que nadie lo hace como yo, y que sólo yo sé lo que es conveniente. Ahí no les estoy ayudando nada. Lo que estoy haciendo es invadirlos y no permitirles que desarrollen sus habilidades.

Necesito apoyarme en el principio de la libertad que todos tenemos para experimentar la vida. Necesito dejarlos libres para que cometan errores y puedan aprender de ellos.

Todos nuestros seres queridos tienen el derecho de vivir su destino, así no me guste lo que hacen. Es su destino, no el mío. Y si realmente los amo, necesito comprender la importancia que tiene que se desarrollen y que crezcan.

Para lograr esto, yo necesito despojarme de mi egoísmo, de mi posesividad y de mis miedos. Necesito darles la libertad para que vivan su vida. Convertirme en un observador.

Desde el amor, apoyo con información cuando me la pidan, pero me aparto inmediatamente después para darle paso a su derecho de experimentarla.

Enseñanza 71

Cuando aspiras a que llegue a tu vida algo satisfactorio, lo que necesitas es hacerte correspondiente con eso. Estamos acostumbrados a estar pidiendo, pero no es pidiendo como me va a llegar.

Si yo aspiro a una pareja con quien pueda complementar satisfactoriamente mi vida, necesito pensar con amor.

¿Cómo sería pensar con amor y cómo sería pensar sin amor con respecto a esto?

Veamos primero cómo sería pensar SIN amor:
- Quiero una pareja muy linda.
- Muy guapo o guapa.
- De carácter dulce.
- Adaptable.
- Sumiso o sumisa.
- Que me apoye en todo lo que haga.
- Que me dé gusto en todo.
- Que podamos ser felices siempre.

Ahí pensé totalmente SIN amor. Estoy pensando con egoísmo, porque estoy pidiendo mucho y no estoy dando nada.

Vamos a ver lo que sería pensar CON amor:
- Soy capaz de dar lo mejor de mí en cualquier circunstancia, aun cuando sea difícil.
- Soy capaz de apoyar la felicidad de cualquier persona.
- Puedo compartir lo mejor de mí con alguien incondicionalmente.
- Puedo ofrecer mi amor y comprensión sin límites a alguien.

- Puedo hacerle que sienta que puede contar conmigo aun en los casos de dificultad más grandes.

Ahí sí estaría pensando con amor.

No pienses en lo que quieres recibir sino en lo que puedes dar. Cuando una persona está dispuesta a dar, le corresponderá lo mejor. Si lo das, te corresponde lo mejor.

Que lo que recibas sea una consecuencia de lo que diste, pero no tu objetivo. Tu objetivo es dar, no recibir.

Enseñanza 72

Todos nacemos dentro de una familia determinada que nos transmite y nos enseña lo que sabe. De lo que mis padres, abuelos y hermanos me transmitieron, se llenó mi campo mental.

La familia donde me correspondió nacer es perfecta para mí. No es ni buena ni es mala; es matemáticamente exacta con mis necesidades de aprender.

No es casual que me tocara ese papá o esa mamá, ni los demás miembros de mi familia. Todo eso es totalmente eficiente en el universo, y el Padre no se equivoca. La casualidad no existe.

Si en mi familia se manejaba un nivel alto de sabiduría, armonía y de respeto, seguramente mis miedos y mis traumas no son muy grandes. Mi capacidad para obtener resultados satisfactorios en mi vida será alta, ya que cuento con herramientas para hacerlo.

Si por el contrario en mi familia había algún miembro (o varios) con niveles altos de miedo y de ignorancia, lo que me transmitieron fue eso. Miedo e ignorancia.

Esto seguramente está dañando mi vida porque no se pueden obtener resultados satisfactorios desde esa información. El amor no se puede expresar cuando el miedo está presente.

Entendamos que nadie es culpable de eso. Mis padres hicieron lo mejor que sabían con lo que tenían. No hay padre o madre que voluntariamente dañe a sus hijos. Todos hacemos lo que creemos que es lo mejor para ellos.

Pero si en este momento mi vida se está viendo afectada por esos traumas y esos miedos, no importa cuándo se grabaron en mí, no importa quién me los grabó, ni cómo. Es necesario limpiarlos para salir de ellos.

Eso me corresponde hacerlo a mí. No hay nadie que pueda limpiar la mente de otro. El desarrollo espiritual es un trabajo individual que necesitas hacer tú.

Dejar el trauma y el miedo atrás es posible cuando cambias tu manera de pensar. Cuando sustituyes la ignorancia de tu mente por sabiduría. Cuando empiezas a pensar de manera diferente.

Vivir sin miedos es vivir en amor y aceptación. Es ser totalmente libre de todo sufrimiento.

Enseñanza 73

Todos los seres humanos tenemos algún nivel de trauma. Unos más y otros menos, pero todos estamos siendo limitados por ellos.

Reaccionamos instintivamente de acuerdo a los traumas que tenemos, y ni siquiera nos damos cuenta que quien reacciona es mi trauma, no yo.

Yo no soy eso. Este está presente en mí, pero yo no soy el trauma. Yo soy algo muchísimo más grande. Soy el Hijo de Dios creciendo y aprendiendo de las experiencias físicas, donde el trauma se hace necesario.

Y me enojo con el otro por sus reacciones, pero en ese caso tampoco reacciona él. Reacciona el trauma que tiene instalado en su mente.

Todos los traumas están relacionados con algún miedo en mí. Veamos algunos ejemplos que son los más comunes:

Si eres enojón, orgulloso, impaciente, autoritario, perfeccionista, prejuicioso, agresivo, angustiado, fanático, inseguro, hiperactivo, híper-responsable, etc., lo que tienes es miedo a perder.

Si eres penoso, pudoroso, apático, perezoso, tímido, rencoroso, cobarde, vergonzoso, indeciso, frustrado, auto-destructivo, susceptible, etc., lo que tienes es miedo a enfrentar.

Si eres celoso, vanidoso, nostálgico, melancólico, posesivo, abatido, aburrido, baja autoestima, hipocondríaco, sobreprotector, dejado, triste, etc., lo que tienes es miedo al abandono.

Si eres asqueroso, apegado, histérico, avaro, rebelde, tacaño, evasivo, receloso, terco, desconfiado, escrupuloso, con fobias o con pánico, etc., lo que tienes es miedo a morir.

Cuando tú veas en ti o en el otro alguno de estos traumas presentes, ahora ya sabes a qué responden. No es tu culpa ni del otro, sólo es una grabación instalada en tu mente, que te controla.

Ejemplo:
En lugar de enojarte con el celoso, ahora ya sabes que lo que tiene es miedo a ser abandonado, por lo tanto lo puedes comprender, y con ternura y paciencia ayudarlo.

Enseñanza 74

Es absolutamente imposible que alguien te pueda dañar mentalmente.

Te podrán hacer daño físico, o sea, en tu cuerpo. Te pueden robar y quitar cosas. Te pueden agredir, golpear y torturar. Te podrían hasta violar o matar.

Pero no hay nadie que pueda afectar la mente de una persona, si esa persona decide que no le afecte.

Tu mente es un lugar que depende única y exclusivamente de ti. Nadie la puede dañar, y tampoco nadie la puede sanar. Solo tú.

Si yo ahora tengo algún nivel de sufrimiento o de daño mental, ese me lo hice yo. Nadie más.

¿Cómo me lo hice? Pensando negativamente de todo suceso. Yo mismo me afecto pensando.

- Pensando me lastimo.
- Pensando sufro.
- Pensando me deprimo.
- Pensando me daño.

Soy yo quien hace eso, pero inmediatamente después, culpo a los demás de algo que yo hice. Ellos no tienen la culpa de cómo yo me siento.

De igual manera, sanar mi mente del sufrimiento o del conflicto depende sólo de mí. No existe la persona que me pueda sanar a mí.

Las demás personas me podrán dar información. Me podrán dar herramientas o consejos. Pero el ejercicio de sanar mi mente es sólo mío.

A eso se le llama asumir.

Mientras piense que alguien me puede sanar, o que alguien me puede dañar, no estoy asumiendo.

Cuando pretendo que alguien venga a hacer ese trabajo por mí, no estoy asumiendo.

Cuando espero que alguien venga a hacerme feliz, a sanar mi sufrimiento, a quitarme la angustia, no estoy asumiendo.

Eso sólo lo puedo hacer yo. Ahí está la evolución. Ahí está el desarrollo espiritual. Asumo mi vida con sabiduría y tomo el control de ella.

Enseñanza 75

Es sumamente común que entre padres e hijos se genere una relación de dependencia. Esto no nos permite madurar espiritualmente.

Es obvio que un niño no puede crecer sólo. Requiere de sus padres para que lo cuiden y lo guíen hasta que ese niño se pueda integrar sanamente a una sociedad. Esto toma un tiempo determinado que en el universo ya está contemplado.

Si nosotros respetáramos el ritmo que el universo lleva sería perfecto, pero no lo hacemos. Queremos seguir gobernando la vida de nuestros hijos hasta edades donde ya deja de ser saludable.

¿Hasta cuándo los hijos son hijos?
Un hijo bien guiado, que aprendió a asumir su vida y a hacerse responsable de ella, a los 18 años puede perfectamente ser independiente. Técnicamente a esa edad cesaría la función de los padres para pasar a otra función diferente que es de hermandad y de amor. Ésta es maravillosa y es para toda la vida.

Esto no significa que no lo pueda seguir apoyando en el caso de que esté estudiando, pero siempre haciendo consciente al muchacho que requiere compensar esa ayuda que se le está brindando.

¿Cuándo irrespeto yo ese ritmo?
Cuando interfiero en el destino de ese hijo, y comienzo a evitar que asuma su vida, lo convierto en un ser dependiente. Ahí estoy irrespetando ese ritmo.

La función de los padres es ayudar a los hijos a crecer, hasta que se conviertan en seres autosostenidos, y se puedan integrar de manera armónica a la sociedad.

No somos dueños de los hijos. Solamente fuimos un canal para que ellos vinieran al mundo a aprender algo. Nuestro compromiso es apoyarlos para que lo logren, y luego soltarlos para que vivan sus propias experiencias de destino.

Enseñanza 76

En nuestro instinto de supervivencia se origina el miedo del ser humano. Lo podemos ver en cualquier especie animal y humana en su estado natural.

- En el macho dominante podemos ver el miedo a perder. Su característica principal es la inseguridad y el orgullo.

- En el macho subordinado podemos ver el miedo a enfrentar. Su característica principal es la inferioridad y la timidez.

- En las hembras podemos ver el miedo al abandono. Su característica principal es la posesividad y los celos.

- Y en los críos podemos ver el miedo a la muerte. Su característica principal es la desconfianza y las fobias.

Estos son los cuatro miedos básicos que están presentes siempre, en diferentes niveles e intensidades. No importa si tenemos un cuerpo de hombre, de mujer, o de niño, ellos están afectando nuestras vidas, nuestra salud y nuestras relaciones.

- Una persona que es dominada por el miedo a perder, generalmente presenta problemas en sus relaciones.

- Una persona que es dominada por el miedo a enfrentar, generalmente presenta problemas en sus recursos económicos.

- Una persona que es dominada por el miedo al abandono, generalmente presenta problemas de ubicación.

125

- Una persona que es dominada por el miedo a la muerte, generalmente presenta problemas de salud.

Trabajar para salir del miedo se convierte en algo primordial si aspiramos a una vida de satisfacción y de gozo.

Enseñanza 77

Todos los seres humanos nacemos a los mundos físicos para tomar información de ellos.

A través de enfrentarnos con la vida vamos aprendiendo y nos vamos perfeccionando, hasta llegar a trascender por completo la necesidad de estar en estos planos físicos de la 3° dimensión.

De acuerdo a esta necesidad de aprender, nos vamos enfrentando a lo que conocemos como problemas, para a través de ellos entrenarnos y desarrollarnos espiritualmente. A través de ir aprendiendo de ellos vamos desarrollando un estado de paz que nos llevará a la invulnerabilidad y a la imperturbabilidad mental.

Lo que acostumbramos a ver como problemas no son sino oportunidades que la vida nos presenta para aprender de ellas, pero una persona sin información no lo puede ver así. Sólo ve problemas.

Una persona con información espiritual jamás verá un problema. Siempre verá una oportunidad para aprender. Con información de sabiduría logras ver lo que los demás no ven.

La experiencia del ser humano consiste en aprender de cuatro situaciones solamente. Pueden ser cuatro problemas o cuatro oportunidades, según como cada quien lo pueda entender: salud, relaciones, recursos y ubicación.

No son sino estas cuatro situaciones las que el ser humano enfrenta. No hay más.

O tenemos problemas con la salud, o con las relaciones, o con la economía o con la ubicación. O puede ser que tengamos los cuatro juntos. Eso depende del desarrollo de cada quien.

Según qué tanto se me complica a mi alguna de estas cuatro situaciones, es la resistencia que yo le pongo a la vida. Cuanto más fluyo y desarrollo aceptación, más satisfacción voy teniendo y menos dificultades.

Enseñanza 78

Cuando una persona tiene ciertos niveles de sabiduría que la gente a su alrededor no tiene, lo que normalmente hace es "Que no se note".

No sería de sabiduría, ni mucho menos de amor, hacerse notar. Todo lo contrario. Sería arrogante dejar que los demás se dieran cuenta y se sintieran inferiores.

Una persona de sabiduría jamás voltearía a ver a alguien para abajo, a menos que sea para tenderle una mano. Lo que normalmente hará es igualarse a su entorno para pasar desapercibido. Y lo hace por respeto de amor.

Cuando se le presente la oportunidad de servirle a alguien con información, lo hará sin escatimar esfuerzos. Pero podrá convivir de igual a igual con quien sea, ya que siempre se iguala a su entorno.

El sabio comprende perfectamente que todos somos iguales, y que la única diferencia entre unos y otros, es el lugar del camino en dónde estamos ubicados. Algunos habremos caminado más, y otros menos, pero eso no nos convierte ni en superiores ni en inferiores. Nos convierte en hermanos que llevamos diferente distancia recorrida. Eso es todo.

Enseñanza 79

Todos hemos pasado en algunas ocasiones por situaciones difíciles en nuestras vidas que quisiéramos olvidar. Recordarlas nos es doloroso, por lo tanto preferimos borrarlas.

Sin darnos cuenta tomamos una decisión equivocada. Decidimos borrar la experiencia de la mente y empezamos a bloquear los campos de memoria. Esto lo hacemos con frecuencia, y sin saberlo vamos bloqueando grandes facultades en nosotros.

No le tengas miedo a recordar. No le tengas miedo a nada. No hay nada que sea peligroso, excepto la ignorancia.

Es muy común que pensemos que tenemos muy mala memoria, y hasta nos justificamos diciendo que es hereditaria. Realmente lo que tenemos son bloqueos. Nuestra mente se protegió por el miedo que nos provoca recordar algún suceso difícil.

Si queremos recuperar nuestras maravillosas facultades mentales, ahora lo que necesitamos hacer es un proceso inverso. Necesitamos comenzar a despertarlas.

Así como en algún momento le diste la orden a tu mente que las bloqueara, ahora necesitarás darle la orden contraria.

Repite constantemente "Comprendo que en toda situación hay un propósito de amor. Padre, muéstrame cuál es ese propósito para poderlo comprenderlo".

Repítete a ti mismo: "Yo tengo muy buena memoria, y puedo traer a mi mente cualquier recuerdo que yo desee".

Enseñanza 80

Todos los seres humanos cometemos errores todo el tiempo. Eso es maravilloso, ya que es la única manera que tenemos de ir aprendiendo.

Pero en lugar de verlo así, lo que hago es culparme y sentirme mal al respecto. Parecería que tengo un torturador integrado que me está reclamando automáticamente.

Cometer errores es algo normal, y no me debo sentir mal por eso. Estoy aprendiendo.

Para la próxima, cada vez que cometa un error me voy a repetir "La próxima vez lo haré mejor".

- Que si me caí... la próxima vez lo haré mejor.
- Que si fui grosero con alguien... la próxima vez lo haré mejor.
- Que si me descuidé y choqué mi coche... la próxima vez lo haré mejor.

Cualquiera que haya sido el error no es grave a menos que yo me juzgue muy duro. Eso me hace sentirme mal y perder energía vital.

A través de esta sencilla frase lo que hago es quitarle fuerza al error. Lo neutralizo.

Para la próxima me diré: "Comprendo que estoy aprendiendo, que todos nos podemos equivocar y que puedo aprender de esto". "Hice lo mejor que podía y lo mejor que sabía y no me equivoqué intencionalmente". "La próxima vez lo haré mejor".

Enseñanza 81

Todos los seres humanos hemos sido dotados de grandes facultades. Las tenemos por derecho divino, ya que son facultades que están implícitas en los Hijos de Dios. Nuestro Padre nos las obsequió, más de mi depende si las uso o no.

Cuando entramos en estados de sufrimiento y de angustia, no podemos utilizar nuestras facultades disponibles. No tenemos la suficiente energía para conectar nuestros centros superiores, que es nuestro centro espiritual.

En la medida en que vamos empezando a comprender cómo funciona la vida, le vamos dejando de hacer resistencia. Vamos dejando la lucha y la pelea. En ese momento vamos acumulando energía vital y ésta nos llevará a que cada vez más se manifieste ese principio divino que ha existido siempre en nosotros.

Ese principio divino se irá despertando en la medida en que yo me vaya convirtiendo en un ser de paz. Cuando absolutamente nada de lo que suceda a mi alrededor pueda afectar mi paz interior, puedo decir que soy un ser imperturbable.

La imperturbabilidad es una facultad que desarrollan los maestros de sabiduría a través de haber aprovechado las oportunidades que la vida les ofreció para entrenarse y aprender.

Enseñanza 82

Siempre oirás decir "Busca aquello que te haga feliz". Yo te diría al revés, "Busca aquello que no te gusta, y encárgate de que te haga feliz".

Convierte algo difícil en algo fácil. Disfruta de lo que no te gusta. Valora la dificultad y transfórmala.

Seguro que vas a pensar "¿Y eso cómo para qué?", ¿Por qué tomar el camino difícil si puedo tomar el fácil?

Porque un camino fácil a ti no te va a llevar muy lejos, de hecho no te lleva a ningún lado. Es una vía lenta. A lo mucho te lleva a pasar un momento agradable. Nada más.

Sin embargo, cuando tú te decides a transformar algo complicado en algo agradable, ahí estarás tomando una vía rápida que te llevará a ascender. Avanzarás grandes distancias.

¿Y cómo hago esto?, ¿Cómo puedo transformar algo desagradable en algo agradable, y hacer que me haga feliz?

Pensando. Usa tu pensamiento. Piensa sólo lo mejor.

Empieza a verle las cosas positivas que tenga. Todo lo tiene. Enfócate sólo en lo bueno, y valóralo. Mantén tu pensamiento sólo pensando lo mejor acerca de eso.

Recuerda que la felicidad es algo interior. Solo tú puedes hacerte feliz a ti mismo.

Enseñanza 83

Decimos "Te amo" con mucha facilidad, y lo decimos realmente desde el corazón. Pero en verdad eso que creemos que es amor, ¿Lo es?

Lo más probable es que no. La mayoría de los seres humanos no amamos. Queremos.

¿Cuál es la diferencia?
La diferencia es muy grande. Se quiere con la mente, y se ama con el espíritu.

¿Cómo reconozco si estoy queriendo o amando?

- Si tratas de que el otro cambie porque no te parece lo que hace, lo quieres.
- Si interfieres en su vida queriendo cambiar su experiencia, así sea para ayudarlo, lo quieres.
- Si lo quieres controlar y decirle qué hacer porque crees que tú eres quien sabe, lo quieres.
- Si lo limitas por el miedo que te da que le pase algo, lo quieres.
- Si te molestas con sus errores, lo quieres.
- Si le quieres decir cómo vestir, cómo peinarse y cómo comportarse, lo quieres.
- Si no respetas sus intereses, sus gustos, su forma de pensar, lo quieres.

La lista puede ser muy larga.

- Si eres capaz de ser feliz con su felicidad, así no te guste lo que hace, lo amas.
- Si le puedes dar libertad total para que tome sus decisiones, lo amas.

- Si eres capaz de mantener silencio ante algo en lo que no estás de acuerdo, y respetarlo, lo amas.
- Si puedes soltarlo para que viva sus experiencias sin interferir, lo amas.
- Si dejas que asuma el resultado de sus decisiones así sean duras, sin querer asumirlas tú por él, lo amas.
- Si ves que se está equivocando y no haces nada, a menos que te lo pida, lo amas.
- Si le abres las puertas de tu corazón, y permites que entre y salga cada vez que lo necesite, lo amas.

La lista también puede ser muy larga.

La diferencia es muy grande pero la confundimos.

Enseñanza 84

En la medida en que vamos avanzando en este camino espiritual, vas notando que algo dentro de ti va cambiando.

Empiezas a observar que ahora tu forma de ver la vida es diferente a como lo hacías anteriormente.

- De repente te haces consciente que ya pasas más tiempo observando una nube, un amanecer o el caminar de un gusano, que el tiempo que pasas viéndote en el espejo.

- Observas que ahora eres menos ruidoso. Disfrutas más del silencio, del aquietamiento, de la lectura de un libro o de un momento meditando, que del bullicio cotidiano.

- Empiezas a disfrutar mucho de estar solo. Aunque te gusta convivir con los demás, te gusta más estar contigo mismo.

- Notas que ahora disfrutas más de la comida saludable y natural que la pesada que antes te encantaba.

- Empiezas a ver que toda persona, sea quien sea, es hermosa. O tiene una mirada linda, o el cabello, o la sonrisa, y descubres la belleza que hay en cada quien.

- Te das cuenta de que ahora ves con ternura a todo ser. A cualquier persona lo tratas como si fuera tu hermano, tu hijo, tu padre o tu madre, según su edad, ya que te inspiran algo hermoso.

137

- Te despiertas por la mañana agradeciendo desde tu corazón gozoso por la oportunidad de un día nuevo, y te duermes satisfecho y feliz por todo lo que pudiste servir y aprender.

- Te deja de importar lo de afuera. Empiezas a viajar ligero. Disfrutas el ir soltando. Dejas de querer o de necesitar. Sabes que siempre lo que sucede es perfecto, y no necesitas nada más.

Al ir avanzando nos vamos haciendo conscientes. Vamos viendo la vida como es, y la vida es hermosa. Siempre ha sido, solo que yo no lo había notado.

Enseñanza 85

Es muy frecuente que nos encontremos con una persona que nos incomoda. La típica que siempre hace algo con lo cual tú te desesperas o te molestas.

Por más que intentas hacer diálogos, o algún tipo de acuerdo, no lo logras. O lo logras pero no se cumplen. Y acto seguido a eso, tú en automático vas a pensar que esa persona tiene la culpa de tu molestia.

Después de estar constantemente en este conflicto, un día vas a comprender algo: "El problema no es lo que esa persona hace, sino mi reacción frente a lo que hace".

Aquí, tú puedes tomar la decisión de manejar la situación de una manera diferente. "De hoy en adelante no intentaré hacer acuerdos ni dialogar, y mucho menos trataré de cambiarlo. Él tiene derecho a ser como es".

En su lugar, reconoces que lo mejor que puedes hacer es cambiar tu forma de verlo y trabajar en ti para aprender a aceptarlo tal cual es.

Te repites una y otra vez:
- No hay nada que esta persona haga que pueda alterar mi paz.
- Él tiene derecho a seguir siendo como es por el resto de su vida.
- No tengo que estar de acuerdo con lo que hace para poderlo amar y servir.

Con ese pensamiento en tu mente, llega el momento en que esa persona ya no causa nada en tu interior.

Ahí es donde se produce la magia. Cuando tú cambias en tu interior, lo de afuera cambia solo porque tú ya no necesitas más ese entrenamiento. Esta persona inexplicablemente cambia su manera de relacionarse contigo.

Por lo tanto, ahí desaparecen dos cosas simultáneamente: La molestia que tú sentías, y también la acción.

Enseñanza 86

Amar y estar enamorado son dos cosas muy diferentes, y las confundimos mucho.

Estar enamorado no tiene nada que ver con el amor. Tiene que ver con un proceso del instinto para perpetuar la especie.

Dentro de las funciones que tiene el instinto, hay una que está relacionada a generar la vida. Al instinto le corresponde ver que esto se dé, para que las personas se reproduzcan.

Para esto existe un proceso que se llama la Selección Natural, donde una persona reconoce a otra y se siente atraído por ella. De todas las personas que puede haber, hay sólo una con la que te gustaría estar.

Una vez se seleccionó a esa pareja, el instinto produce una hormona llamada feniletilamina que circula por el cuerpo durante 3 años, y genera lo que llamamos "El enamoramiento".

Durante este enamoramiento se desactiva la razón. Es decir, que el botón del razonamiento está apagado para que no le pienses mucho y te embaraces. De eso se trata aunque nos parezca increíble.

Por eso después de esos tres años, en ocasiones sientes que el otro ha cambiado y ya no es tan lindo como era antes. Es que antes no era él. Estaba siendo manipulado por el instinto.

El amor no tiene nada que ver con este proceso que es puramente natural y básico para perpetuar la especie.

Enseñanza 87

Si mi desarrollo espiritual fuera una gran escalera, cada vez que yo subo un escalón tengo que ir soltando lo que había en el escalón anterior.

No puedo subir la escalera cargando con todo lo que me voy encontrando en el camino. Tengo que quedarme sólo con lo que me sirve, y soltar lo que ya no necesito.

Es como si en una compañía, el encargado de la limpieza asciende a ser cobrador, después cajero, para llegar a ejecutivo o hasta un director, pero no suelta la escoba y el recogedor.

Eso no nos permite avanzar. Por lo tanto, si aspiro a ascender, tengo que ir renunciando a lo anterior.

- Si aspiro a ser un ser de paz, renuncio a cualquier tipo de agresión.

- Si aspiro a la convivencia armónica y pacífica con los demás seres, renuncio a estar defendiéndome.

- Si aspiro a una vida de satisfacción y de gozo, renuncio a culparme por todo lo que he hecho mal.

- Si aspiro a una vida de abundancia, renuncio al pensamiento negativo que limita mis capacidades.

- Si aspiro a relaciones de amor, renuncio a cualquier tipo de crítica, juicio o interferencia.

- Si aspiro a una salud maravillosa, renuncio a los miedos y a los traumas que hay en mi mente.

- Si aspiro a expresar mi amor constantemente, renuncio total y definitivamente a quejarme de nada ni de nadie.

Valoro todo lo que en mi vida hay, y lo agradezco profundamente. Respeto toda experiencia y acepto a los demás tal cual son. Sin límites.

Renunciar es soltar. Es dejar atrás lo que ya no necesito. Es avanzar. No significa que eso vaya a desaparecer, sólo que yo dejo de usarlo.

A esto se le llama trascender. Es dejar de usar lo que ya no va conmigo porque yo ya di otro paso.

CAPÍTULO V

Otro paso en mi camino

Hasta el camino más largo se empieza por el primer paso.

Cada vez que tú avanzas en tu camino, te vas acercando a tu Padre. A ese espacio de amor absoluto de donde saliste, y que ahora espera por tu regreso.

Enseñanza 88

Una persona que está teniendo problemas de pareja, claramente está viviendo lo que conocemos como una relación de destino. Esta tiene la intención que ambos aprendan de ella, y no está en ella por mala suerte o porque se equivocó al escoger a la pareja. Están en ella porque necesitan ese aprendizaje.

Hay personas que se quisieran separar y no pueden. O la situación económica no se los permite, o los hijos, o los miedos, etc. Ahí claramente están frente a un destino inaplazable y no les queda otra que vivir la experiencia.

Hay personas que sí logran separarse y deciden mejor delimitar. Esto es el equivalente a cuando vas a la escuela y decides dejar la materia sin terminar.

La abandonas porque no te gustó, o no te sientes lo suficientemente fuerte o capaz para terminarla, pero no la has aprobado y tendrás que volverla a hacer. A esto se le conoce como destino aplazable. Sólo aplazaste la experiencia.

También hay personas que deciden no separarse sino aprovechar la situación que se les presenta. Entienden que esa mala relación es una perfecta oportunidad para aprender a entrenarse, y que su destino los colocó en ella con un propósito.

En lugar de huir, la utilizan para aprender de ella. Cuando ya aprendieron, la vida por sí sola los cambia de relación.

¿Qué tengo yo que aprender de una mala relación?

- A no culpar a nadie de lo que estoy viviendo. Asumo el resultado de mis decisiones.
- A aceptar que el otro tiene derecho a hacer lo que hace, así no me guste.
- A ser feliz por mí mismo, independientemente de que viva con alguien desagradable.
- A desarrollar un estado de paz que nada de mi exterior pueda perturbar.
- A dar lo mejor de mí así el otro sea un grosero.

No dejes que el otro decida por ti. Si el otro es grosero, tú sé amable. Si es frío contigo, tú puedes ser cariñoso. Si es infiel, tú puedes ser absolutamente leal y comprometido. No dejes en sus manos tus comportamientos.

Ser linda con el lindo (o viceversa) es fácil. No se requiere mucho para eso. Ahí no hay crecimiento. Creces cuando puedes ser lindo con el agresivo, con el desagradable, con el irrespetuoso.

Aprende a dar lo mejor de ti siempre, independientemente de lo que el otro te dé. Así entrarás en una vida muy satisfactoria donde te corresponderán solamente personas respetuosas y amables. Te habrás hecho correspondiente con eso.

Enseñanza 89

¿Quién controla tu vida?

Hagamos un test simple:
- ¿Te sientes ofendido cuando alguien es grosero contigo?

- Te entristeces si las cosas no salen cómo quieres?

- ¿Puedes ser amable con quien te sonríe, pero cuando te ponen mala cara, tu actitud cambia?

- ¿Te preocupa lo que opinen de ti los demás?

- ¿Te ocasiona molestia si alguien habla mal de ti?

- ¿Te enoja que te digan mentiras?

- ¿Te molesta que te quieran decir cómo hacer las cosas?

- ¿Te sientes afectado cuando alguien se burla de ti?

Si todas, o algunas de tus respuestas son positivas, eres un esclavo de los demás. Les has dado el control.

Si tus respuestas son negativas, eres un ser con independencia espiritual, que éste es el más alto grado al que como seres humanos podemos aspirar. Tú tienes el control.

Imagina un control de tv en las manos de otros, que cada vez que presionan una tecla, tú reaccionas.

Presionan y te enojas. Presionan y te ofendes. Presionan y te entristeces.

Tus emociones, tus sentimientos, tus pensamientos y tus reacciones están siendo controlados por los demás. Por lo que afuera sucede. Mientras esto sea así, tu sufrimiento no tiene fin. No eres dueño de tu vida. Siempre dependerás de lo externo.

¿Cómo podrías ser feliz si estás dependiendo de los demás?
Eso no se puede. Eres susceptible, vulnerable, ofendible y manipulable.

¿Hasta cuándo?
Hasta que les quites el control y lo manejes tú.

Hasta que seas tú quien determine tú sentir y tú actuar. Hasta que dejes de reaccionar. Nadie tiene por que decidir por ti.

Cuando comprendas que los demás tienen derecho a ser groseros o mal encarados, pero eso no impide que tú puedas ser amable.

Cuando comprendas que te pueden mentir y criticar, y están en su derecho, pero no porque ellos sean ignorantes lo tienes que ser tú.

Cuando logres comprender que todos vamos en el mismo camino, pero llevamos distinto recorrido. Unos hemos caminado más y otros menos, pero eso no nos convierte ni en mejores ni en peores.

Si tú comprendes que todos vamos manejando nuestra vida como mejor sabemos con lo que hasta ahorita tenemos desarrollado, no tienen por qué molestarte los errores de los demás. Hacen lo mejor que pueden.

Sé tú un ejemplo de amor. Muéstrales cómo se hace. Pero hazlo sin palabras. Tu actuar dice mucho más.

Y por favor, no le des tu control a nadie. Sé tú quien decide tu comportamiento.

Enseñanza 90

Cuando tú le dejas de hacer resistencia a la vida, todo empieza a funcionar armónicamente.

El amor es un principio neutro. No es negativo ni positivo. En matemáticas equivale al cero. Y en física equivale al neutrón.

Cualquier suceso en que uses una herramienta de amor se neutraliza. O sea, da cero. Se le quita cualquier carga positiva o negativa.

No veamos lo negativo o lo positivo como bueno o malo. No lo son. Solamente son cargas diferentes.

Si tú tienes una situación negativa frente a ti, utiliza una herramienta de amor y en automático se neutraliza, ya que sobre el amor ninguna fuerza se puede manifestar.

Siempre que utilices respeto, aceptación, valoración, agradecimiento, adaptación, una acción inteligente, y un asumir con sabiduría, cualquier suceso, sea cual sea, de cualquier nivel o tamaño, se neutraliza.

Enseñanza 91

Una vela no pierde su luz por encender a otra. Tú no pierdes nada por compartir tu amor con los demás. Todo lo contrario, lo haces crecer. Lo alimentas.

Si alguien discute algo, concédele la razón, aunque no la tenga.

Si te critican o te agreden, no reacciones. Ponte en sus zapatos y ve las cosas desde donde las está viendo él.

Si te piden ayuda, dales la información para que solucionen sus problemas, más no se los soluciones porque lo estarías perjudicando.

Si ves a alguien muy exaltado, sé amable con tu palabra y con tus gestos. Sonríele amorosamente y permite que se descargue. No lo critiques ni le quieras enseñar.

No le digas a nadie lo que hace mal. Eso ya lo sabe. Mejor dile lo que hace bien, y lo estarás ayudando a superar lo que hace mal.

En lugar de querer decirle al otro lo que debe hacer, sé un ejemplo de amor. Esto se nota, y hace que los demás te quieran seguir.

Comparte tu amor y solo tu amor. El tesoro interior es el único tesoro que entre más lo usas, más crece.

Al utilizar la esencia de amor que hay en ti, vas generando la luz dorada del amor, que te lleva a iluminar el camino de los que tienes a tu alrededor.

Ahí estarás amando a los demás.

Enseñanza 92

No vivas en automático tu vida. Hazte consciente de todas tus decisiones y obsérvate. Ya no estamos para estar reaccionando sin pensar.

Eso lo hace una persona muy ignorante que aún no sabe quién es verdaderamente. Aún no ha reconocido su esencia divina, ni su perfección y su grandeza.

Si tú ya te reconociste como Hijo de Dios, es necesario dejar de reaccionar desde el instinto de supervivencia, y empezar a actuar desde la sabiduría y desde el amor que hay en ti.

Hoy proponte dejar de reaccionar. Mejor dirige conscientemente cada una de tus palabras y cada una de tus acciones. Así estarás creciendo espiritualmente. Así vamos dejando al animal instintivo reactivo y vamos pasando al ser humano.

Aunque tengamos un cuerpo de humano, no somos humanos del todo. Muchas veces hay más de animal en nosotros que de humano.

Para llegar a ser humano, necesito dejar de reaccionar y empezar a actuar desde el amor. Así se va despertando lo que yo realmente soy. Esa conciencia pura y perfecta, Hijo del Padre, ilimitado e inmortal, amor en esencia. Nada más y nada menos que el Hijo de Dios.

Esa conciencia por ahora duerme en mí, y despertará cuando yo haya dejado de comportarme como un animal.

Enseñanza 93

Para que el amor se exprese en mí, necesito sacudirme el miedo. Los dos juntos no pueden convivir. El miedo no permite que el amor se exprese.

¿Qué estoy expresando yo? A veces no sé y hasta lo confundo. ¿Qué les estoy compartiendo a los demás?

Ejemplos de compartir mis Miedos:
- Ten mucho cuidado porque te puede pasar algo malo.
- No te vayas a enfermar.
- Yo sin ti no podría vivir.
- Si te pasa algo me muero.
- Eso es peligroso.
- No quiero dejar la casa sola porque la pueden robar.
- Cuídate de los demás porque te pueden hacer algo.
- Etc.

La lista puede ser larga.

Ejemplos de compartir el amor:
- Diviértete mucho
- Te va a ir muy bien
- Disfruta cada oportunidad que se te presenta
- Tú puedes
- Aprovecha esa experiencia y aprende de ella
- Si te equivocaste no pasa nada
- La próxima vez lo harás mejor
- Que tengas un día lindo
- Etc.

La lista también puede ser muy larga.

Estamos acostumbrados a compartir más el miedo que el amor. Y los confundimos. Creemos que es del amor lo que no es.

Enseñanza 94

Desde que nacimos, nuestra mente se ha ido llenando de información.

La mente es como una grabadora que está prendida grabando siempre. Nunca se detiene, no se le acaban las pilas, no se descompone. Está grabando (REC) eternamente.

Desde niño, he grabado todo lo que me enseñó la cultura, mis padres y mi entorno. Me creí todo lo que me dijeron porque no tenía cómo evitarlo.

Un niño se cree todo lo que le dices porque no tiene información previa en la mente para razonar. Es totalmente inocente. Así se forma lo que conocemos como Ego.

Si yo nací en una familia muy ignorante seguramente la información que se grabó en mi mente fue falsa en su mayoría. Si nací en una familia amorosa y armónica con ciertos niveles de sabiduría, me grabaron principalmente información verdadera.

Esto no es por suerte ya que la suerte no existe. Nacemos exactamente en la familia que necesitamos para que la mente adquiera la información que nos llevará a vivir la vida que necesitamos vivir.

Para unos será más sencillo y para otros más difícil, y eso depende de la información que haya en mi mente. Como la casualidad no existe, nada de eso es casual. Es matemáticamente exacto con cada persona.

Para yo poder saber qué tipo de información hay en mi mente, necesito observar los resultados en mi vida. Siempre la información falsa deja un resultado insatisfactorio, y siempre la información verdadera deja un resultado satisfactorio.

¿Cómo están los resultados de tu vida?, ¿Cómo están tus relaciones, tu salud, tu economía, y tu adaptación al entorno? Cualquier punto de estos donde estés teniendo resultados negativos, te muestra claramente que estas usando información falsa.

Si me convierto en un observador, es muy fácil identificar qué tipo de información estoy usando. La información de amor siempre, siempre, siempre, dejará un resultado hermoso en mí y en mi entorno. Y si no es hermoso, lo puedo cambiar. Ya dijimos que la mente no deja de grabar. Así como en algún momento alguien me grabó algo falso, hoy yo puedo re-grabar una nueva información que sea verdadera.

La mente se graba pensando. Piensa solo en amor y tu mente se grabará con información que te llevará a tener una vida de excelentes resultados siempre.

Eso hace el amor. Sólo puede dar excelentes resultados.

Enseñanza 95

Los seres humanos estamos habituados a estar defendiéndonos de todo. Nos sentimos vulnerables y creemos que los demás nos van a atacar, por lo tanto nuestro instinto de supervivencia está siempre alerta, listo para entrar en acción.

Esta defensa está relacionada con el miedo. Si no tuviera miedo no sentiría la necesidad de defenderme.

Esto es muy desgastante. El estar defendiéndonos tanto nos lleva a dañar nuestras vidas. Afectamos constantemente nuestras relaciones, además de la salud.

La defensa no es necesaria cuando yo me declaro un ser de paz. En lugar de supervivencia lo que necesito buscar es la convivencia pacífica.

Cuando yo renuncio a estar defendiéndome, me hago correspondiente con ser protegido por las fuerzas del universo.

Esto me lleva a dejar de ser correspondiente con la agresión. Ya no seré agredido por nada ni por nadie porque ya no me corresponden esas experiencias.

Dejar la agresión y la defensa me va convirtiendo en un ser humano. Pasamos de ser animales a humanizarnos. Este es un paso muy grande en mi desarrollo espiritual.

Renuncia a la defensa y conviértete en un ser de paz. Renuncia a la agresión y conviértete en un ser de convivencia pacífica y armónica. Declárate un ser de amor.

Para que el amor se exprese en ti, se requiere que acabes con tus miedos.

Enseñanza 96

Cuando yo no conozco lo que el amor es, lo confundo con los sentimientos.

El amor no es un sentimiento. Está lejísimos de serlo. Ni se le parece.

El sentimiento tiene una dualidad que no tiene el amor. A veces siento bonito y a veces feo. En otras ocasiones siento alegría o tristeza. O bien siento gusto y a veces enojo o vergüenza.

El sentimiento es cambiable y se mueve con mucha rapidez cuando un suceso se presenta. Pasa de un lado a otro en segundos.

El amor no tiene esa dualidad ya que es neutro. No se va de un lado al otro, ni de arriba hacia abajo. Siempre se mantiene en el centro. En el punto de equilibrio.

El sentimiento nos hace sufrir. El amor te tiene en felicidad constante.

El sentimiento, como su nombre lo dice, es mental. Senti-mental. El amor no es mental. Es de origen divino.

El sentimiento es ignorante. El amor es sabio.

Creemos que lo más lindo que tenemos son los sentimientos, pero no es así. Es lo más feo que tenemos, porque por ellos sufrimos y dañamos nuestras vidas. Lo más lindo que tenemos es el amor.

El amor me libera de todo sufrimiento y de toda dificultad ya que el amor es una comprensión.

El amor es el centro superior que hay en mí. Muy por encima del sentimiento.

Es una comprensión del orden del universo. Es una energía que viene del Padre.

Sólo el amor te puede llevar a ver la belleza que hay en todo cuanto existe y sucede.

Sólo el amor te lleva a aceptar a los demás tal cual son, sin intentar cambiarlos y a respetarlos sin juzgar.

Eso no lo puede hacer el sentimiento.

Enseñanza 97

Todos somos libres de tomar decisiones, por lo tanto el día de hoy decido:

- Que le voy a dedicar más tiempo a observar el vuelo de una mariposa, un ave, o el caminar de cualquier insecto. Me maravillo con la perfección de todo ser vivo.

- Decido que por hoy voy a vigilar mi verbo. Que de mi boca salgan muchas más palabras de aliento y apoyo, que de molestia y queja.

- Decido que el día de hoy vigilaré mi rostro para que tenga más sonrisas que gestos desagradables.

- Decido que hoy voy a disfrutar todo lo que el día me ofrezca, y lo voy a aprovechar para mi crecimiento.

- Hoy decido que voy a valorar todo lo que tengo. Y voy a dejar de quejarme por lo que no tengo.

- Hoy decido ser libre. Me suelto a la vida y suelto a los demás en ella. No me apego a nada ni a nadie.

- Hoy decido vigilar mi pensamiento todo el día, ya que comprendo que de él se determinan mis resultados en la vida. Pensaré sólo en satisfacción y en Amor.

- Hoy decido cuidar de mi cuerpo físico para mantenerlo saludable. Comprendo el valor tan grande que tiene.

- Hoy decido ser un poco más feliz que ayer. Comprendo que la felicidad sólo depende de mí y me dedico a trabajar en ella.

- Hoy decido que tendré los ojos abiertos todo el día, para no perderme ninguna de las bendiciones que me acompañan en mi vida. Las veo, las disfruto y las agradezco.

- Hoy decido ver a todas las personas a mi alrededor con amor. No importa su forma, su condición o actitud, yo las veré como si fueran mis hermanos, mis padres o mis hijos, según su edad. Y los trataré como tal.

- Hoy decido dejar de limitarme yo mismo con frases como "No puedo". Las sustituyo por "Todo se puede", "Si otro puede, yo también puedo, y mejor".

- Y el día de hoy decido dar lo mejor de mí, y sólo lo mejor, durante todo el día, a quien se requiera. Comprendo que soy un ser con facultades ilimitadas.

Recordemos que todos tenemos la facultad de tomar decisiones. Decide tomar las decisiones adecuadas, y asume el resultado que ellas generen.

Enseñanza 98

¿Qué busco yo en la vida? Todos siempre estamos buscando algo.

De una y otra manera, en el fondo todos buscamos lo mismo. Buscamos ser felices. No hay nadie en el mundo que no busque ser feliz.

Sin embargo, muy difícilmente lo conseguimos. Por más que busco sigo teniendo dificultades en mis relaciones, con mi salud, con mis recursos económicos, y con mi adaptación al lugar donde la vida me coloca.

Encuentro dificultades constantemente que no me permiten ser feliz ni vivir en paz.

Esto es porque estoy buscando en el lugar equivocado. Busco la felicidad donde ella no está. Busco afuera lo que está adentro.

La felicidad es un proceso interno. Solo dentro de mí puedo encontrarla. Afuera no existe.

El planeta Tierra es un planeta agresivo, donde las dificultades son necesarias para que los habitantes se desarrollen, crezcan y aprendan. Esto no es malo, es perfecto. Es un colegio.

Por lo tanto la felicidad no es posible de manera externa. Pero internamente sí que puedo desarrollar la felicidad en mí. Individualmente. Porque la felicidad no es colectiva, es individual.

Cuando yo logro comprender que todo lo que sucede en el universo no es bueno ni es malo. Simplemente es necesario para quien lo vive...

Cuando logro aceptar a todos y a todo sin hacerle resistencia a nada, y respetar cualquiera de sus comportamientos, así no me gusten...

Cuando suelto la lucha y la resistencia y decido fluir armónicamente con la vida, entro en un estado de felicidad profundo.

Yo puedo ser feliz así esté en medio de una guerra, así tenga una enfermedad grave, o bien haya perdido a un ser querido. Puedo ser profundamente feliz.

Cuando logro este magnífico estado, nada podrá perturbar la paz perfecta de mi mente. Vivo en un gozo perpetuo. Puedo observar las cosas difíciles que suceden, pero no sufro ante nada. Soy totalmente feliz internamente.

Enseñanza 99

Siempre hemos creído que la vida hay que vivirla luchando.

Son comunes frases como estas:
- Esa persona es una guerrera
- Nunca dejes de luchar
- No te rindas
- Dales pelea
- No te conformes
- Etc.

Todas estas frases están relacionadas con violencia. Con agresión. Con resistencia. Con desarmonía. Con no aceptación.

A veces interpretamos mal. Vemos como virtudes lo que son limitaciones del Ego.

Me mantengo en la lucha y en la resistencia porque me hicieron creer que ahí estaba la grandeza de ser humano. Que era de personas fuertes pelear.

Esa forma de vivir la vida me mantiene perdiendo energía todo el tiempo. Es muy desgastante y agotador. Ahí no está la sabiduría, todo lo contrario. La sabiduría está en aceptar, en respetar, y en asumir.

Te propongo cambiar tu manera de pensar para fluir con la vida en lugar de luchar contra ella. Para aceptar en lugar de querer cambiar a los demás y tu entorno. Para respetar en lugar de hacerle resistencia a nada.

Sustituye las frases de resistencia por frases de Amor:
- Siempre tengo lo necesario para ser feliz

165

- Todo lo que sucede es perfecto y necesario para mi aprendizaje
- Estoy siempre dispuesto a servir con Amor
- Aprovecho cada día como la mejor oportunidad para aprender
- Tengo la capacidad de ser feliz con lo que tengo
- Nada es mío y nada me pertenece
- Nada de lo que alguien haga podrá alterar la paz perfecta de mi mente
- Etc.

Aprovecha las oportunidades que la vida te da y aprende de ellas en lugar de luchar por cambiarlas. Una vez que ya aprendiste, cambian solas.

Los cambios se hacen adentro de ti, no afuera. Lo de afuera se va acomodando según tú vas avanzando.

"BUSCAD EL REINO DE DIOS DENTRO DE VOSOTROS. LO DEMÁS SE OS DARÁ POR AÑADIDURA".

Enorme frase de maestro Jesús que nos invita a dejar de luchar con lo de afuera.

Enseñanza 100

Siempre que actúas desde lo mejor que hay en ti, te vas a conectar con lo mejor que hay en el otro.

Esto es por ley. Responde a la ley de causa y efecto. Lo que das, es lo mismo que lo que recibes.

¿A qué me refiero con actuar desde lo mejor que hay en mí?
A compartir sólo mis virtudes. Mi alegría, mi felicidad y mi entusiasmo.

A resaltar sólo lo mejor del otro y hacérselo ver. A apoyar con mi amor las experiencias de los demás sin juzgar, criticar, interferir ni agredir.

A respetar cualquier comportamiento aunque no me guste. A compartirle información que lo lleve a desarrollar sus habilidades cuando me las pidan, pero respetarlo si no las quiere.

A tener siempre una palabra tierna, una mirada amorosa, un gesto amable. A no condicionar mis esfuerzos en nada que se me requiera. Siempre dispuesto a servir con amor.

Dar lo mejor de mí es procurar un mejoramiento siempre, en todo mi entorno. Es iluminar con mi amor el espacio donde me encuentro, y llevar esa luz a cada rincón. Que el que se sienta a oscuras, encuentre su camino.

Dar lo mejor de mí es que cualquier miedo, frustración, resentimiento o limitación que yo tenga, me los guardo para mí. No los comparto con los demás ya que ellos no tienen por qué cargar con lo que no les corresponde a ellos, sino a mí

Enseñanza 101

Cuando quieras ayudar a alguien, hazlo desde la sabiduría.

Supongamos que alguien te pide ayuda. Antes de hacer nada, es necesario conocer la diferencia entre ayudar, servir e interferir.

Son tres cosas muy diferentes pero se confunden mucho.

- Ayuda es hacer por el otro lo que el otro no puede hacer por sí mismo.

Para ayudar necesito tener dos condiciones. Tener con qué, y saber cómo. Si yo ni tengo con qué, ni sé cómo, no puedo ayudar.

Ejemplo de ayuda: Un ciego está en una esquina y yo me acerco a ayudarlo a cruzar la calle. Él no puede sólo. Ahí estoy ayudando y eso es muy bueno.

- Interferir es hacer por el otro lo que el otro debe hacer por sí mismo.

La interferencia es sumamente común entre las personas buenas, porque como son tan buenas, quieren evitarle al otro la experiencia, por lo tanto le evitan el aprendizaje.

Esto genera muchos bloqueos en mí. Me convierto en una persona limitada en mis recursos porque no los sé utilizar adecuadamente.

Con ellos quiero interferir en los destinos de los demás, por lo tanto los ángeles se encargan de restringírmelos.

Ejemplo de interferencia: Uno de mis hermanos tiene problemas para pagar la mensualidad de su coche porque se gastó el dinero en otra cosa, y yo se lo pago. Eso es interferir y es ignorancia total.

- El servicio tiene dos puntos importantes. El primero es dar lo mejor de ti siempre en cada cosa que te corresponda hacer. Eso que te toca hacer, lo haces lo mejor que puedas. Y el segundo es darle información al otro para que pueda resolver sus problemas sólo. O sea enseñarlo. Pero esto es siempre y cuando él lo permita, porque si no quiere esa información, lo respeto.

El servicio es lo mejor que puedes hacer por alguien. Es cientos de veces más valioso que la ayuda. Es enseñarlo a que él maneje sólo su vida. De esta manera ya no requiere de nadie porque ya aprendió.

Pondremos un ejemplo de servicio ya muy conocido: No le des el pescado. Enséñalo a pescar.

Si tú le das el pescado, comerá una vez. Si lo enseñas a pescar, comerá siempre. Esto es actuar desde la sabiduría.

Enseñanza 102

Cuando reconozco que mi mente entra en un estado depresivo, necesito hacer algo, antes de que se convierta en una situación mayor.

¿Cuáles síntomas me lo indican?
- Falta de entusiasmo.
- Ansiedad.
- Tristeza.
- Pensamiento negativo.
- Pereza.
- Desmotivación.
- Apatía.
- Agresividad.
- Aburrimiento.
- Miedo.
- Falta de concentración.
- Etc.

Si yo detecto algunos de estos síntomas en mí, me estoy deprimiendo. Mi mente está descendiendo a zonas de oscuridad.

Cuanto más descienda, más difícil será salir de ahí. Por lo tanto, es importante hacer algo de inmediato.

¿Qué puedo hacer?
- Pasear por la naturaleza.- Ella tiene la facultad de transmutar nuestra energía negativa y convertirla en aromas.
- Alimentarte sanamente.- Evitar lácteos y azúcares refinadas. Procurar alimentos vegetales principalmente.
- Mantenerte acompañado.- Procurar actividades en equipo donde puedas compartir tu afecto con demás personas.

- Leer y escuchar música adecuada.- Evita tener tu mente ociosa. Mantenla ocupada con lecturas y música armónica.
- Dormir lo suficiente.- Procura descansar para que la mente se recupere.
- Practicar relajación y meditar visualizando mucha luz sobre ti. Visualízate envuelto en una llama color violeta.

Y la más importante de todas, mantente alejado de lo que te genere conflicto, hasta que te recuperes y lo puedas manejar.

Cuando alguien se deprime es porque su mente no acepta algo. Hay algo en su interior que le produce malestar, sin solucionar. Algo que está intoxicando su interior.

Identifica por dónde estás perdiendo energía para que lo trabajes hasta superarlo. Pero mientras tanto, aléjate de las situaciones que te afecten.

Enseñanza 103

Hoy me abro al amor. Decido dar sólo lo mejor de mí, y me abro a recibir sólo lo mejor de los demás.

Para lograr esto, necesito soltar la lucha por completo. Suelto la resistencia a todo y a todos. Reconozco lo necesario de cada situación y dejo que las cosas fluyan.

Me declaro un ser de paz, y suelto por completo la agresión. Renuncio a volver a criticar a nada ni a nadie. No juzgo. No condeno. No peleo. No discuto.

Respeto cualquier comportamiento así sea diferente al mío. Acepto mis errores y los de los demás como algo necesario en nuestras vidas, y lejos de juzgar, apoyo con mi amor.

Vigilo mi pensamiento. ¿Por qué pensar lo peor cuando puedo pensar lo mejor? Que mi pensamiento se mantenga sólo pensando lo mejor de cualquier situación o persona.

Aquí es cuando sucede la magia. Ante esto, empiezan a suceder milagros en mi vida. Se realiza la magia del amor.

A mi vida llegan sólo personas y situaciones agradables, y todo fluye en total armonía. Mi convivencia es pacífica con todo mi entorno. Entro en esa ola de amor infinito del Padre que me lleva a vivir la vida en un gozo total y pleno.

Enseñanza 104

¿Qué diferencia encuentras entre un insensible y un desensibilizado?

A la vista parecería lo mismo, pero la diferencia es gigante. Hay miles de años de evolución entre uno y otro.

Un insensible es alguien que todavía no ha desarrollado los sentimientos. Un desensibilizado ya los desarrolló y ya los trascendió.

Te explico mejor:
El insensible no conoce el sentimiento porque no lo ha tenido nunca. Este es al que conocemos como malo.

Es un ser que está muy abajo en su proceso evolutivo. Ha caminado poco y está viviendo las experiencias que le corresponden al malo para aprender de ellas.

Al no tener sentimiento, no le importa nadie más que él mismo. Y no tiene ningún problema con explotar una bomba que matará personas inocentes, o con cortarle una oreja a un niño para pedirles rescate a sus padres.

Es malo porque no existe sentimiento en él. No lo conoce aún. Y es un extraordinario entrenador para las personas a su alrededor, ya que genera situaciones que los hacen sufrir.

Una persona desensibilizada es totalmente diferente. Éste va mucho muy adelante en su proceso evolutivo. Ya ha recorrido mucho más del camino.

Él ya desarrolló el sentimiento, pero al comprender la vida como la vida es, y descubrir el propósito de amor perfecto que hay detrás de todo lo que existe y sucede, reconoció lo innecesario que es sufrir.

Ya comprende que el sentimiento no le sirve ni a él ni a nadie, y que sufrir es un ejercicio inútil. Nunca las cosas han cambiado porque alguien sufra, y lo sabe.

Los demás sí le importan, y mucho, pero comprende que cada quien vive las experiencias necesarias que lo llevarán a desarrollar el principio de amor en él, por lo tanto reconoce ese valor.

Ante esta comprensión, entra en el estado del desensibilizado. Este es un estado bellísimo porque ama a todos pero no sufre por nadie.

El desensibilizado no es ni malo ni bueno. Es justo y es sabio.

Enseñanza 105

No existe nada difícil en el universo. Puede ser que para mí en este momento lo sea, porque no tengo ni la información, ni el entrenamiento para hacerlo. Pero difícil no es.

Lo que para unos es difícil, para otros puede resultar muy sencillo. Sólo es cuestión de saberlo hacer.

Para mí hacer un avión puede ser hasta imposible, pero los ingenieros especialistas los hacen muy bien.

Tenemos la costumbre de estar limitándonos repitiendo frases como: "Eso es imposible", "Eso no se puede", "Eso es muy difícil", "Yo no puedo". Ahí ya quedamos bloqueados irremediablemente.

Aprendamos a pensar correctamente para no bloquear la mente y llenarla de limitaciones.

"Yo no tengo esa información por ahora, pero se puede". "Yo no estoy preparado para eso en este momento, pero difícil no es".

De la forma como manejemos nuestro pensamiento dependen nuestros resultados en la vida. No utilices frases limitantes. Descártalas, no sirven. Tu potencial es muy grande como para que lo estés bloqueando.

Mantén tu pensamiento siempre pensando positivamente:
- Todo se puede, y me dispongo a aprender.
- Soy un ser ilimitado dotado de facultades extraordinarias.
- Si otros lo han hecho, lo puedo hacer yo, y mejor.

175

- Mis capacidades son infinitas y las utilizo para servir y servirme con amor.

Que a tu mente entren solamente pensamientos positivos. Ciérrale la puerta a frases que bloquean tus facultades ilimitadas. Reconoce y explota tu potencial.

Enseñanza 106

A través de aprender a amar yo voy ascendiendo en este proceso evolutivo que me llevará de regreso al Padre.

A ese lugar (si pudiéramos llamarlo así) de donde salí y hacia dónde voy, para integrarme con él, para siempre.

Para poder fusionarme con mi Padre para siempre, necesito haber desarrollado en mí una virtud muy específica. Necesito haberme convertido en un ser de amor. Sin esta virtud no se puede llegar a Él.

Entonces, ¿Qué hago yo haciéndole tanta resistencia a la vida? ¿Qué hago haciendo tanta resistencia a todas las personas a mi alrededor? Todo esto es tan inútil. Tanta pérdida de tiempo y de energía.

Si ya sabemos que el amor es lo único que nos llevamos, y a través de irlo desarrollando en mí, y acumulándolo, es como me voy acercando a ese océano de amor Inmensurable e infinito, qué hago desgastándome tanto por cosas tan poco importantes, como es la lucha contra los demás, y contra todo.

Mejor dedícate a amar. Conviértete en un ser de amor.

¿Cómo?
No le hagas resistencia a nada ni a nadie. Acepta que todo en el universo tiene un propósito y no luches contra él. Fluye con la vida.

Comparte lo mejor y sólo lo mejor de ti en todo momento. Disponte siempre a servir con amor a quien te lo permita. No limites tus dones.

177

Ofrécelos a cualquier persona que la vida te coloque cerca. Sin límites.

Esparce tu luz. Que lo que toques se ilumine.

Enseñanza 107

No hay por qué irte contra los demás cuando te sientes mal por algo. Ellos no tienen la culpa.

Si crees que alguien te ofende, te lastima o te daña, estás haciendo papel de víctima. A ti nadie te hace nada.

Has sido tú mismo quien se dañó, lastimó u ofendió al no saber interpretar el error del otro. Eso no tiene que ver con el otro, sino contigo.

La mayoría de los habitantes del planeta viven en el papel de víctima. Los demás tiene la culpa de lo que les pasa.

Es más fácil culpar a los demás que asumir mi vida. Culpo a mi familia, a la sociedad, al gobierno, etc. Todos tienen la culpa menos yo.

¿Dónde queda tu responsabilidad frente al universo? ¿Dónde está tu facultad para tomar decisiones? Todos estamos tomando decisiones en todo momento, y éstas tienen un resultado. Ese resultado es tuyo. Asúmelo.

¿Por qué le dejas al otro la responsabilidad de hacerte sentir bien? Tú puedes sentirte bien siempre, independientemente de lo que los demás hagan o dejen de hacer.

Asume tu vida. Toma el control. Aprende de tus resultados y no te victimices. Eso no te ayuda. Te llenas de resentimientos y dañas tus relaciones.

Mejor aprende a ser feliz por ti mismo, independientemente de los demás.

Si los demás hacen o dejan de hacer cosas, eso es cosa de ellos y a ti no te afecta, porque eso lo controlas tú.

Enseñanza 108

¿Ante qué situaciones de tu vida pierdes el control?

Si encuentras que pierdes el control ante algo, es porque tienes trauma.

Sin que tú lo pudieras evitar, se fueron instalando traumas en ti en la medida en que fuiste viviendo la vida. Unos más grandes, y otros más chicos, pero todos los tenemos.

El trauma es inconsciente en ti. Tú no sabes que lo tienes hasta que te enfrentas a alguna situación que lo activa. Y te va a acompañar toda tu vida porque éste no se quita sólo. Tienes que hacer algo tú para desactivarlo.

¿Ante qué situaciones en tu vida te sientes ofendido?

Si encuentras que te ofendes ante algo, es porque tienes ego.

De igual manera, sin que tú lo pudieras evitar, se fue llenando tu mente de creencias que te fue vendiendo la cultura y las personas cerca de ti.

Unos más grandes y otros más chicos, pero todos tenemos ego. Éste, a diferencia del trauma, sí es consciente en ti. Eres consciente de tus creencias, sólo que crees que son verdades, cuando no lo son. Son creencias.

Tanto el trauma como el ego son limitantes en mí. Ambos me llevan a dañar mi salud, mis relaciones, mi negocio, etc.

El único problema que tiene cualquier ser humano sobre la Tierra está en estos dos puntos. El ego y los traumas. No hay más problemas que esos.

Si queremos dejar el sufrimiento por completo, necesitamos deshacernos de los dos. Que no quede nada de ellos. Esto es posible haciendo una limpieza de la mente.

Precisamente en eso consiste el desarrollo espiritual. En limpiar la mente de todo trauma y de toda creencia. Y ese es un trabajo que nadie va a hacer por ti. Es un trabajo individual.

Cuando logras acabar con estos dos limitantes, sólo se expresará en ti el Amor en toda su magnitud.

Enseñanza 109

Antiguamente el ser humano vivía en cuevas estando muy expuesto para ser atacado por cualquier animal salvaje.

Para esto, su instinto lo llevaba a defenderse peleando o huyendo.

Esa es una de las funciones del instinto. Defender la vida. Reacciona en automático atacando o huyendo como sistema de supervivencia.

Sólo que ese mismo instinto, si no lo controlamos, nos lleva a estar atacando constantemente a los demás, dañando gravemente nuestras relaciones.

Frecuentemente reacciono agresivamente ante cualquier situación, cual animal salvaje. Eso lo tengo que dejar atrás si aspiro a ser un ser de amor.

Ya no vivimos en cuevas. No somos atacados por fieras. Esa defensa ya no es necesaria.

En la medida en que voy evolucionando y me desarrollo espiritualmente, tengo que soltar lo que ya no es necesario para mí. Adaptarme a mi nueva condición espiritual.

La defensa ya no es necesaria para mí. Necesito eliminar al reptil que todos traemos dentro, y pasar así al nivel de los seres de paz y de amor.

CAPÍTULO VI

Tan lejos como yo quiera

Naciste como un ser dotado de facultades extraordinarias que son características de los hijos de Dios.

Pero luego llegó la cultura y te enseñó lo contrario. Te dijo que no podías y te lo creíste.

Has olvidado quién eres en realidad.

Enseñanza 110

No quieras cambiar las cosas que suceden. No luches contra los demás. No le hagas resistencia a la vida. Es muy desgastante.

Mejor dedícate a reprogramar tu mente para que no te afecte.

Tú puedes hacer que te guste lo que no te gusta. Puedes hacer que te caiga bien el que te cae mal.

¿Cómo? Reprogramando la mente y utilizando la valoración.

De ahora en adelante piensa sólo lo mejor de cada persona y cada situación. Aunque haya cosas que no te gusten, busca sólo lo bueno y valóralo. Encuentra lo positivo que todo tiene y piensa sólo en eso.

Y además, has el ejercicio de introducir frases positivas a tu mente para que se grabe con una nueva información de amor:

- Ninguna situación externa puede alterar mi paz.
- No hay nada que pueda impedirme ser feliz.
- Todo lo que sucede es perfecto y necesario para el orden del universo.
- Hoy me propongo mantener un estado de paz.

Entrénate repitiendo constantemente frases como las arriba mencionadas. Irán poco a poco sustituyendo la información vieja de tu mente, creando en ti una nueva forma de pensar.

Este ejercicio es el ejercicio de la liberación.

Enseñanza 111

Hay dos palabras que usándolas juntas te ayudan a respetar los comportamientos que no te gustan de los demás.

Estás dos palabras son "Tiene derecho".

Grábalas en ti y hazlas un hábito. Verás cómo te ayudan a aceptar a los demás. A dejar de hacerles resistencia.

- Que si el otro es un grosero... tiene derecho.
- Que si siempre anda de mal humor... tiene derecho.
- Que si comete muchos errores... tiene derecho.
- Que si es mentiroso... tiene derecho.
- Que si es desordenado, sucio, agresivo, perezoso, borracho, drogadicto, flojo, deshonesto, etc.... tiene derecho.

Y es que todos tenemos derecho a un comportamiento determinado, cualquiera que sea, correcto o equivocado. Nos guste o no, ese derecho lo tenemos todos.

Se llama libre albedrío, y nacemos con él. Es el derecho a cometer errores para aprender de ellos.

Ese derecho es extraordinario, porque una persona que no comete errores y no se equivoca, es una persona que no está aprendiendo.

Si a ti no te gusta el error del otro, pues el problema no es del otro, sino tuyo que no estás aceptando al otro como es. No estás aceptando este derecho que tiene.

No te involucres en el error del otro. Si se equivocó, tiene derecho. Si su comportamiento para ti no es el adecuado, pues no será adecuado pero está en su derecho. Todos lo estamos.

Suelta a los demás, no juzgues sus errores, y acepta que es necesario.

Ante todo lo que veas que no te guste, repite en tu mente: "Esta persona tiene derecho a ser así", "Esto no tiene nada que ver conmigo", "Eso no impide que yo lo pueda amar y le pueda dar lo mejor de mí".

Verás que se te va haciendo más fácil la convivencia. Pruébalo.

Enseñanza 112

¿Qué necesito para ser feliz ahora? ¿Estoy esperando que pase qué cosa?

¿Qué me llegue una pareja linda?
¿Qué mi cuerpo se sane?
¿Qué tenga un trabajo más agradable?
¿Qué cambie mi coche, mi casa, o de pareja?
¿Qué a las personas que quiero les vaya bien y obtengan lo que buscan?
¿Qué los que viven conmigo cambien y sean más amables?

¿Qué tiene que cambiar en mi vida para yo poder ser absolutamente feliz?

La mayoría de las personas estamos esperando que suceda algo. Pero cuando eso llega, vamos a esperar a que suceda otra cosa. Y es el cuento de nunca acabar.

Para ser feliz no necesito nada más que lo que ya tengo en este instante. Con eso me sobra.

Sólo es cuestión de que yo lo decida, dejar de hacerle resistencia a la vida y acepte todo lo que sucede como algo necesario y perfecto.

Es cuestión de que reconozca la maravillosa oportunidad que tengo frente a mí diariamente. Vivir la vida para aprender de ella, así como enseñar y servir con lo que he aprendido.

Ver los problemas como oportunidades para crecer, para fortalecerme, y para desarrollarme espiritualmente.

Y sobre todo, es cuestión de abrir bien los ojos para poder ver todo lo que tengo. Es mucho. Más que suficiente para ser inmensamente feliz ahora mismo.

No esperes a que pase algo o que llegue alguien para hacerte feliz. Eso no va a suceder. Sólo tú te puedes hacer feliz a ti mismo.

La facultad de ser feliz ha estado dentro de ti siempre. Venía incluida desde el momento en que naciste.

Sólo que al nacer tu mente empezó a contaminarse y te limitó. Olvidaste que la facultad de ser feliz está en ti desde el mismo instante de tu concepción. Tu Padre te la obsequió al igual que la facultad de respirar.

Dios te la regaló, pero de ti depende si la utilizas. Ese es un trabajo que tienes que hacer tú.

Enseñanza 113

¿A quién se le puede considerar una persona de éxito?

Nos ha enseñado la cultura que la persona exitosa es la que ha desarrollado grandes fortunas, o que tiene una empresa grande, o un cargo importante en el gobierno o en alguna compañía.

El éxito no tiene nada que ver con lo económico ni con el poder.

Ejemplo:
Tenemos al director de una aerolínea muy grande. Gana mucho dinero, tiene mucho reconocimiento y poder. Maneja mucho personal.

Pero su trabajo es muy desgastante, por lo tanto vive con estrés. No tiene paz. Tiene úlcera, ya lleva un infarto y ahora requiere de dos stents coronarios.

Además, sus relaciones familiares son muy malas porque los ve poco. No tiene tiempo para ellos. La esposa le reclama constantemente su ausencia, o ya aprendió a vivir sin él. O se consiguió a alguien más.

Pero todos lo consideran una persona de éxito. Eso no lo es. Una persona de éxito no puede vivir así.

Veamos otro ejemplo:
Tenemos a una persona que tiene un negocio pequeño, o trabaja para una compañía. No gana mucho pero le alcanza para sus necesidades. Tiene tiempo para convivir con su familia, y siempre anda de buen humor. Tiene paz y tiene salud. Hasta le

alcanza el tiempo para algún hobby, o para ver a sus amigos.

¿Cuál de estos dos personajes es más exitoso?

Vamos a definir éxito como lo define la sabiduría. No como lo define la cultura.

"Persona de éxito es aquella que siempre es capaz de ser feliz con lo que tiene, y siempre tiene lo necesario para ser feliz".

Esa es una persona totalmente exitosa.

Aquel que aunque gane poco, siempre le alcanza y le sobra porque no necesita mucho. Es feliz con lo que tiene. No necesita de nada porque siempre lo tiene todo. Eso es éxito.

Aquel que valora y agradece lo que la vida le da, sin importarle lo que costó o la marca que pueda tener. Eso es éxito.

Enseñanza 114

Dar siempre lo mejor de mí, y sólo lo mejor de mí, a toda persona que tenga cerca, es lo que hace un discípulo de amor.

Las personas tendemos a condicionar. Si él otro me da, yo le doy. Si es grosero, yo soy grosero. Si es amable, yo soy amable.

Cada quien da lo que tiene y lo que puede. Y no todos tenemos lo mismo.

Comparte sólo lo mejor de ti en todo momento, y no te preocupes si te regresan de lo mismo que diste. Eso no es importante.

Si el otro es grosero, es cosa de él. Tiene derecho a ser grosero. Seguramente no ha desarrollado todavía virtudes que tú puedes ya tener. Que eso no te limite a expresar tu amor en todo momento.

Entrénate en expresar sólo tu amor. No digas nada con lo que alguien pueda salir lastimado. Da sólo palabras de mejoramiento y de motivación.

Que cuando alguien te busque, te encuentre siempre dispuesto y abierto para servirlo con amor. Para apoyar su experiencia con tu consejo, con tu caricia y con tu palabra amable.

Enseñanza 115

Cuando voy al cine yo veo en la pantalla una historia que están transmitiendo.

Si algo de la historia no me gusta y quisiera cambiarlo, de nada sirve que vaya a la pantalla, porque ahí no está el problema. Es sólo una proyección.

Para hacerle un cambio a esa historia necesito ir al disco donde está grabada la historia. Ahí es donde está codificada la información que se refleja en la pantalla.

Lo mismo pasa conmigo.

Lo que sucede en mi vida no es más que un reflejo de lo que está grabado en mi disco. A éste se le conoce como campo mental.

Si quiero hacer un cambio en mi vida, necesito hacerlo directamente dentro de mí. No afuera. Lo de afuera cambia sólo en el momento que se modifica lo de adentro.

Cometemos el error de estar luchando con lo de afuera. Quiero que los demás cambien para que se adapten a mí. Quiero cambiar los sucesos. Ése es un ejercicio inútil y desgastante.

Internamente voy a trabajar en mí. Voy a cambiar yo para aceptar a los demás como son, no como yo quisiera que fueran. Para respetar cualquier comportamiento aunque sea diferente al mío. Para asumir mi vida sin culpar a nadie de lo que yo siento. Para adaptarme. Para valorar. Para agradecer.

Lo de afuera no me preocupa. Eso sólo se cambia para adaptarse a los cambios internos que yo voy haciendo.

Enseñanza 116

Cuando no hemos reconocido el valor de nuestro cuerpo físico, no le damos el cuidado que requiere.

Sin que nosotros seamos el cuerpo físico, sin él no hay desarrollo espiritual.

Para que nuestra conciencia (lo que sí somos) evolucione, requiere de enfrentarse con experiencias de vida, para verificar la verdad y lograr la comprensión.

El cuerpo físico sostiene a la mente, y ésta es la que forma la personalidad. Es ésta personalidad la que vive las experiencias necesarias para que la conciencia crezca.

Por lo tanto, sin cuerpo no hay mente. Sin mente no hay personalidad. Sin personalidad no hay experiencias. Sin experiencias no hay comprensión. Y sin comprensión no hay evolución. Así de simple.

Si yo descuido mi cuerpo físico, significa que no he comprendido el valor tan enorme que tiene.

Una persona que fuma, que toma, que consume alguna droga o estimulante, y además es sedentario, mal alimentado, es que no ha reconocido el valor de su cuerpo físico.

Y cuidar del cuerpo físico no significa cambiarle la forma a la nariz porque no me gusta, o quitarle las arrugas a mi rostro. Eso no es cuidarlo, eso es rechazarlo. Es no reconocer la perfección que hay en él.

Cuidar mi cuerpo físico es proporcionarle el alimento adecuado, el descanso suficiente, el ejercicio necesario. Es mantenerlo sano.

Enseñanza 117

Generalmente nosotros no sabemos quiénes somos en realidad. Creemos que somos lo que no somos, y nos confundimos.

Yo creo que soy mi cuerpo físico, o que soy mi nombre y mi apellido. Creo que soy mi profesión o mi cuenta en el banco.

También creo que soy mi personalidad con su archivo de ignorancia.

Nada de eso soy yo. Esos elementos los uso para vivir experiencias pero no soy eso. Soy algo mucho más grande que eso.

Yo solamente soy la esencia divina, perfecta y pura, el Hijo de Dios, en un proceso de evolución.

Para que esa evolución se realice, yo requiero de un cuerpo y de una mente. El cuerpo tiene un cerebro que por un intercambio energético sostiene a la mente. En la mente se forma el ego y se desarrolla la personalidad.

El ego se alimenta de las energías densas, por lo tanto requiere de tenerte sufriendo, con dolor y con angustia. Esto tiene el propósito de que tú puedas vivir las experiencias que necesitas para aprender de ellas.

Si el ego se acaba antes de tiempo, no tendrías herramientas para vivir experiencias.

El ego se disolverá en su momento, pero debe ser sustituido por comprensión de amor. Cuando ya hay suficiente comprensión de amor en mí, al ego, aunque se resista todo lo que quiera, no le queda otra más que morir porque ya no tendrá la energía que lo alimenta.

Enseñanza 118

Cuando vivo solo, tomo mis propias decisiones. No me veo en la necesidad de consultarlo o de comentarlo con nadie. Yo pienso como individuo.

Pero cuando me integro a vivir con otra persona, o con otras personas, necesito cambiar mi pensamiento individual. Ahora tengo que pensar como pareja.

Cuando tengo hijos, ahora tendré que pensar como familia. Y si me integro a un grupo tendré que pensar como comunidad.

Es decir que mi pensamiento se tiene que adaptar a mi experiencia que decidí tomar.

No puedo pretender vivir en familia y seguir pensando como individuo porque eso no va a funcionar.

Actualmente son muchas las familias que se desintegran o las parejas que se separan porque no logran la armonía entre ellos.

Claro que no la van a lograr si no aprenden a pensar de acuerdo a su experiencia de vida.

Y en ocasiones nos confundimos o interpretamos mal las cosas. Me topo con personas que me dicen: "Mi terapeuta me dijo que pensara primero en mí".

En eso estoy de acuerdo. Yo también te lo recomiendo porque si aspiras a ser una buena pareja o un buen padre o madre de familia, necesitas trabajar en ti, y para eso requieres haber pensado en ti primero.

Pero eso no significa que voy a hacer lo que yo quiera sin pensar en los demás, ni que les vaya a pasar por encima. Eso no va a funcionar ni ha funcionado nunca. No se puede.

Tú tienes un libre albedrío y puedes tomar decisiones. Nadie te puede obligar a vivir en familia o en pareja si tú no lo quieres. Pero una vez que ya lo decidiste, si quieres lograr la armonía en tus relaciones, necesitas adaptar tu pensamiento.

Enseñanza 119

Ser humano no es sólo tener el cuerpo de un hombre o una mujer. Ser humano significa mucho más que eso.

Podemos tener un cuerpo de humano, pero no ser humanos del todo. De hecho, muchas veces tenemos más de animal dentro de nosotros que de humano, independientemente de la forma física que tengamos en este momento.

La palabra humano nos habla de alguien ya con algún camino recorrido, del cual ya logró comprender mucho y se ha ido purificando.

Es alguien que ya alcanzó un estado elevado de maestría. Es decir, alguien que ya dejó al animal atrás y se eleva al nivel de los maestros.

Es alguien que ya logró una limpieza mental, y trascendió totalmente la ignorancia, los miedos y los traumas. Se deshizo del ego.

Un humano es alguien que ya cometió muchos errores y aprendió de ellos, por lo tanto, no vuelve a cometerlos más.

El ser humano actúa dentro de la sabiduría del amor siempre. Tiene consciencia plena del orden del universo y actúa conforme a la Ley.

Enseñanza 120

En muchas ocasiones has leído o escuchado reflexiones lindas donde se te dice la maravillosa creación que eres.

Se te dice que tus capacidades son ilimitadas y que dentro de ti hay un poder enorme. Que eres parte del plan perfecto del Padre, y que dentro de ti está todo lo necesario para una vida plena y feliz.

Pero tú eso lo ves como si hablaran de alguien más, no de ti. No te lo crees.

Sin embargo, si te creíste cuando te dijeron que no podías, que algo era muy difícil, que no eras capaz.

Te has creído todo lo negativo, y te cuesta trabajo creerte lo positivo. Eso hace que tu vida esté totalmente limitada por el miedo.

¿Qué pasa contigo? ¿Por qué elegiste creer así? ¿Por qué eliges pensar mal siempre? Seguramente antes no tenías información para razonar algo, pero ahora sí la tienes.

Elige qué creer, y elige qué pensar. Cuando alguien te diga "Eso no se puede", no lo contradigas. Él tiene derecho a decir lo que quiera. Pero dentro de ti piensa "Todo se puede. Si alguien puede, yo también puedo, y mejor".

No te identifiques con comentarios relacionados al miedo. Déjalos pasar. Escúchalos, pero no los hagas parte de ti. No les des fuerza.

No permitas que nada te limite. Elige qué comentarios aceptar y cuáles sólo dejarlos ir. No te identifiques con nada que no venga del amor.

Enseñanza 121

En la medida en que yo entro en el proceso de limpieza mental, algo dentro de mí se modifica. Voy cambiando mi manera de interpretar los sucesos de la vida, y a las personas. Ahora veo todo de una manera diferente.

Pongamos un mismo ejemplo con dos interpretaciones. Una antes de la limpieza mental, y otra después.

Digamos que estamos frente a una persona agresiva.

Antes de la limpieza de la mente:
- Esta persona es mala.
- Yo empiezo a creer que esta persona tiene que cambiar.
- Pienso que me está dañando o haciendo mal.
- Creo que me tengo que vengar de él.

Con esta interpretación yo me siento mal.

Después de la limpieza de la mente:
- Entiendo que a mí nadie me puede hacer daño, más que yo mismo.
- Puedo comprender que esa persona hace lo mejor que puede, y lo mejor que sabe, aunque se equivoque.
- Puedo comprender que esa persona tiene derecho a ser agresivo, ya que por ahora todavía no cuenta con herramientas para evitarlo.
- Puedo comprender que yo necesito respetar sus decisiones, y que tiene derecho a ellas.
- Puedo comprender que yo puedo aprovecharlo como un entrenador en mi vida, para que me ayude a desarrollar el amor en mí, aprendiendo a amarlo tal cual es.

203

Con esta interpretación yo me siento bien.

Los sentimientos son mentales y están directamente relacionados con mis creencias. Yo siento según lo que creo.

Enseñanza 122

Vivimos en un mundo lleno de gente negativa. Se quedaron instalados en el pesimismo y es lo único que saben compartir.

Seguramente tú tienes a alguien así cerca, y seguramente has oído frases como estas:

- A la vida se viene a sufrir.
- El infierno está aquí en la Tierra.
- La vida es muy difícil.
- La vida es un valle de lágrimas.
- Todos los matrimonios tienen problemas.
- Etc.

Déjalos que digan lo que quieran; tienen derecho. Ya están acostumbrados a ese tipo de pensamiento, y ya se hicieron adictos al pensamiento negativo.

Pero no seas tú quien hace esos comentarios, y no te identifiques con lo que dicen. Escúchalos pero no te iguales con ellos, e inmediatamente después, dentro de ti, coloca un pensamiento que lo contrarreste.

Si oyes que dicen "A la vida se viene a sufrir", tú piensa "La vida es hermosa y yo tengo la capacidad de disfrutarla plenamente".

Si oyes que dicen "La vida es muy difícil", tú piensa "Soy una creación perfecta del Padre y tengo facultades ilimitadas dentro de mí para ser feliz y compartir mi felicidad con los demás".

Si oyes que dicen "La vida es un valle de lágrimas", tú piensa "La vida es maravillosa y agradezco la oportunidad que tengo de estar vivo, de disfrutar cada momento y de servir con mi amor".

Si oyes que dicen "Todos los matrimonios tienen problemas", tú piensa "Algunos matrimonios tienen problemas, pero yo agradezco cada situación que la vida me presenta como una gran oportunidad para aprender y desarrollar el principio de amor en mí".

Tú puedes convertir la fuerza negativa del otro en algo positivo con sólo pensar. No permitas que su comentario se grabe en ti. Neutralízalo con un pensamiento de amor.

Enseñanza 123

No discutas con nadie, no ganas nada. Sin embargo sí pierdes, y mucho.

El que siempre quiere discutir es tu ego. Es más, lo necesita para sobrevivir y quiere tener la razón siempre; sentir que él es quien sabe.

Entendamos algo. Todos siempre desde nuestro punto de vista tenemos la razón, así tú no estés de acuerdo o no aceptes algo.

Cuando te pones en los zapatos del otro te das cuenta que también tiene la razón viendo las cosas desde donde las está viendo él.

Por lo tanto, discutir no tiene sentido. Hay más sabiduría en darle la razón al otro que en discutir. Es más amoroso, aunque no quiere decir que tengas que estar de acuerdo. Solo respétalo y ahí lo estarás amando.

¿Qué ganas cuando discutes?
Probablemente ganes que te den la razón. Un súper alimento para tu ego y nada más.

¿Qué pierdes cuando discutes?
Primero que nada, pierdes energía vital, que es lo más valioso que tienes. Y de la energía vital que acumules depende el éxito en tu vida.

Segundo y muy importante, pierdes personas que quieran estar contigo. Te vas quedando sólo. Toda discusión siempre es agresiva y forzosamente alguien no queda contento.

Una persona que necesita discutir para quedarse con la razón no está preparado para una relación armónica. Su ego es más grande que su capacidad de amar.

Enseñanza 124

Cuando alguien tiene hambre, le das de comer, no comes por él. A nadie se le quita el hambre porque tú comas por él. Eso no se puede.

Alimentarte es un proceso individual que tienes que hacer tú. Lo mismo es aprender; nadie puede hacerlo por ti.

Tú no le puedes decir a tu hijo que se quede en casa mientras vas a la escuela por él.

Nadie puede aprender por otro. Es algo que tenemos que hacer nosotros mismos. De eso se trata la vida. Nos enfrenta a dificultades para que aprendamos de ellas.

Pero aquí hay algo muy importante. Así como nadie puede aprender por el otro, tampoco nadie puede aprender sin el otro.

Es a través de la convivencia con los demás como nosotros vamos aprendiendo, vamos creciendo y nos vamos perfeccionando.

Si yo decido aislarme e irme a vivir sólo a las montañas para estar en paz, seguro lo conseguiré, pero en cuanto regrese y me enfrente a los demás, la pierdo. Ahí no aprendí nada. Puede que haya estado en paz, pero no desarrollé la paz en mí.

No es aislándome como me desarrollo espiritualmente, sino aprendiendo a convivir y aceptando a los demás.

Cuando yo me enfrento a las dificultades, a las personas difíciles, a los que me contradicen, a los que me agreden, y no pierdo la paz, ahí logré desarrollar el principio de paz en mí.

Cuando puedo estar enfermo yo o algún ser querido. Cuando puedo estar en medio de una guerra o un caos, y estoy en paz, ahí logré desarrollar el principio de paz en mí.

Es a través de convivir con los demás como lo logro. No te aísles. Agradece a todas las personas que tienes cerca, sobre todo a las difíciles, porque por ellas vas evolucionando.

Enseñanza 125

La mayoría de los habitantes del planeta viven su vida en automático. No son conscientes de quiénes son ni qué hacen aquí. Viven sin saber de qué se trata la vida. Esto es normal.

Llega un punto en nuestro proceso evolutivo en que esto se acaba. Todos llegamos a ese momento. Unos antes y otros después, pero nos llega el momento de hacernos conscientes.

Cuando eso sucede, se desactiva el automático y se activa el consciente. Nos convertimos en observadores de nosotros mismos y empezamos a dirigir nuestros comportamientos.

Ahí es cuando podemos hacer cambios. Cuando tenemos la posibilidad de trascender nuestras limitaciones.

Nos hacemos conscientes de nuestro ego, de nuestros miedos y de los traumas, y nos damos cuenta de la necesidad de trabajar en ellos.

Al reconocer la contaminación de la mente, ya no culpamos a nadie por ella y nos disponemos a limpiarla.

Este momento es extraordinario porque ahí puedo hacer cambios. Antes no. ¿Cómo podría cambiar algo que ni sé que tengo?

Hacerte consciente es lo mejor que te puede pasar. No quiere decir que ya no tengas limitaciones, pero ya las reconociste. Con esto ya llevas avanzado la mayor parte del camino.

Enseñanza 126

Cuando alguien te diga "Piensa mal y acertarás", no lo contradigas, dale por su lado y respétalo, pero no sigas sus consejos.

Esa persona no tiene todavía las herramientas de amor que ahora ya puedes tener tú.

Su desarrollo espiritual todavía no le alcanza para ver el amor que hay detrás de todo cuanto existe y sucede. Le falta amor.

Pero no le discutas porque entonces al que le faltará amor será a ti. Es más sabio darle por su lado, decirle que tiene la razón, emparejarte con él y no juzgarlo.

Pero eso no quiere decir que estés de acuerdo en lo que él dice. Esa persona tiene derecho a decir lo que quiera, y pensar lo que quiera, pero eso no tiene nada que ver contigo.

Si tú ya expresas amor, puedes saber que esa frase es de ignorancia, de defensa, de agresión.

Un ser de paz opina totalmente lo contrario: "Piensa bien y acertarás".

Un ser de paz y de amor ya sabe que cada quien hace lo mejor que sabe y lo mejor que puede. Sabe que nadie se equivoca por gusto, y decide pensar sólo lo mejor.

Desde el amor te conectas sólo con el amor de los demás, por ley de afinidad.

- El amor se iguala con el amor.
- La paz se iguala con la paz.

- El respeto se iguala con el respeto.
- La agresión se iguala con la agresión.
- La violencia se iguala con la violencia.

Tú piensa sólo lo mejor, y te igualarás con lo mejor del otro.

Enseñanza 127

¿Cuando decimos que tenemos una corazonada, a qué nos referimos?

En el centro del corazón hay una parte que no es física (como es la mente) que percibe.

En esta parte del centro cardiaco, es donde se desarrolla la intuición.

Frecuentemente confundimos el instinto con la intuición. Son dos cosas totalmente diferentes.

El Instinto es esa parte animal donde se alojan los mecanismos de defensa. No es más que una supervivencia del cuerpo físico.

La intuición es la información que viene de más arriba. Sin pasar por el razonamiento, nos llega directamente como una corazonada.

La intuición es eso que no sé cómo lo sé, pero lo sé. Es esa certeza de que tú sabes algo que no tienes ni idea de dónde lo sacaste. Esa sensación de tener información que sabes que es cierta, pero nadie te la dijo.

Pero es muy importante que la identifiquemos para no confundirla con el miedo. En muchas ocasiones lo que tenemos es miedo, y creemos que es una corazonada.

"No vayas porque tengo una corazonada de que algo te va a pasar". Lo que seguramente tienes es miedo.

La intuición es esa información superior que conectas y la percibes en el corazón.

Cuanto más alta este tu energía vital, más intuición desarrollas. Cuanta más luz haya en ti, más claridad tienes para poder percibir con ese centro cardiaco.

Cuando tu mente está iluminada, te conectas con información superior ya que ascendiste a dimensiones superiores del pensamiento.

Enseñanza 128

Cuando una persona es capaz de amar, el perdón ya no es algo necesario.

Para que se necesite el perdón, significa que necesariamente hay un culpable. Pero si ahora sabemos que el culpable en el universo no existe, pues la necesidad del perdón desaparece.

Ahora ya sé que a mí nadie me ha hecho nada. Que he sido yo quien se ha dañado interpretando mal los errores que los otros cometen. Que he sido yo quien se ha ofendido solo. Yo he sufrido al no poder comprender que cada quien hace lo mejor que puede, aunque se equivoque. Y que todos tenemos derecho a equivocarnos.

Por lo tanto el perdón es totalmente innecesario. En lugar de perdonar, lo que puedo es agradecer. El agradecimiento es una herramienta profunda de limpieza interior.

Cuando yo logro agradecer desde lo más profundo de mi corazón, todo dolor acumulado en mí a lo largo de mi vida. Cuando logro agradecer esa situación difícil por la que tanto sufrí. Cuando puedo agradecer ese hecho tan duro que tanto ha afectado mi vida. Ahí estamos hablando de algo profundo. Estamos hablando de una herramienta de Amor. Estamos hablando de una limpieza mental.

Cuando comprendo que cada suceso difícil que en mi vida se ha presentado, me ha servido para hacerme más fuerte. Que gracias a eso yo he crecido, y he aprendido. Que gracias a las dificultades he logrado desarrollar virtudes en mí. Y cuando las puedo agradecer, ahí habré logrado un desarrollo espiritual muy grande.

Agradecer las dificultades es algo profundo. Es asumir mi vida y dejar de hacerme la víctima. Es aprovechar las dificultades como oportunidades para aprender de ellas. Es dejar de vivir en automático y tomar el control de mí mismo.

Enseñanza 129

El perdón es una herramienta muy poderosa para acabar con los conflictos y generar estados de paz. Más no es una herramienta de sabiduría.

Para que exista la necesidad del perdón, implica que hay un culpable. Implica que alguien te dañó, o que tú dañaste, y eso no se puede. Ahí ya nos equivocamos.

Nadie puede dañarte más que tú mismo. Fuiste tú quien interpretando desde la ignorancia de tu mente lo que el otro hizo, salió dañado. Fuiste tú quien se lastimó o se ofendió con el error del otro. Tu mente juzgó lo que el otro hizo como malo.

Resulta que para el universo no existe el culpable. No existe ni lo bueno ni lo malo. Solo existen personas aprendiendo a través de irse equivocando.

No tenemos otra forma de aprender más que experimentando la vida y cometiendo errores. Del error vamos tomando información. Vamos creciendo y adquiriendo herramientas.

Si a mí me molestan los errores del otro, o me molesto cuando yo los cometo, es que no he comprendido cómo funciona el universo.

Si el otro se equivoca y comete errores al relacionarse contigo, tiene derecho a hacerlo. Está aprendiendo. Pero eres tú quien se ofendió ante eso.

De ahí surge la necesidad del perdón. Surge de mi creencia que el otro me afectó y ahora espero que lo reconozca para yo perdonarlo.

Ahí hay una mezcla de ignorancia y orgullo. Como me siento muy bueno, te perdono, y renuncio a vengarme.

Cuando hay amor la necesidad del perdón desaparece. Solo queda la comprensión de que todos vamos caminando el mismo camino, pero no llevamos el mismo recorrido.

Unos hemos caminado más y otros menos. Unos hemos aprendido unas cosas y los otros han aprendido otras. Unos hemos desarrollado ciertas habilidades que puede que el otro no lo haya hecho.

Esto no es ni bueno ni malo. Es necesario y es perfecto. Así funciona la vida. Nos equivocamos para aprender y avanzar.

Si el perdón te lleva a liberarte de un conflicto en tu mente y a entrar en un estado de paz, es maravilloso. Más no es de amor.

Enseñanza 130

A lo largo de tu vida te irás encontrando con diferentes personas. Unas de ellas llegan para quedarse y otras sólo pasan.

Ninguna de ellas llega a ti por casualidad. Tú no lo sabes, pero hay un plan perfecto de Dios en cada persona que toca tu vida.

Están ahí para ayudarte a que cumplas tú destino, a que aprendas y te desarrolles, así como tú los ayudas también a ellos.

Esta es una interacción hermosa del universo. Yo aprendo de ti, y tú aprendes de mí.

Es de la convivencia diaria con los demás como aprendemos. "Nadie puede aprender sin el otro".

Pero hay dos grupos donde podemos clasificarnos todos.

En el grupo uno están las personas armónicas y pacíficas que te sirven con su amor, ayudándote a ser mejor persona, y dándote información para que desarrolles habilidades y herramientas.

Estas son personas con algo de sabiduría y tú aprendes de ellos. Son como maestros para ti.

En el grupo dos están las personas conflictivas y agresivas, que son las que te confrontan y te complican la vida con su ignorancia.

Estas te llevan a aprender pero no porque tengan ninguna información que compartirte, sino porque son muy molestas. De ellas aprendes la paciencia, la aceptación, la prudencia, la tolerancia, etc.

A estas personas les llamamos "Entrenadores". Me confrontan tanto que yo desarrollo muchas herramientas a través de mi convivencia con ellos.

Tener a una persona difícil al lado es una oportunidad muy grande que tengo para crecer y fortalecerme. En lugar de luchar contra ella, la puedo aprovechar. No está en mi vida por casualidad, sino para enseñarme algo.

Sin embargo, no seas tú la persona difícil en la vida del otro. Apoya a los demás con tu amor, dando siempre lo mejor de ti.

Que cuando alguien necesite de ti, te encuentre siempre dispuesto para servirlo.

Enseñanza 131

Cada uno de nosotros está viviendo su vida lo mejor que puede, y está haciendo lo mejor que sabe.

A lo largo del camino hemos ido desarrollando ciertas habilidades y virtudes que nos permiten actuar adecuadamente y obtener resultados satisfactorios.

Pero también obtengo en ocasiones resultados negativos y eso no es por mis virtudes desarrolladas, sino lo contrario. Es por mis limitaciones mentales que hasta ahora no he limpiado y todavía están en mí.

Todos tenemos luz y oscuridad dentro de nosotros. Ignorancia y sabiduría. Unos más y otros menos. Esto no es ni bueno, ni malo. Es necesario para que aprendamos y nos desarrollemos.

La diferencia entre unos y otros, sólo corresponde al camino que hemos recorrido. Algunos llevamos más camino andado y hemos aprendido más. Otros llevamos menos.

Nadie es mejor que nadie. Los muchachos de bachillerato no son mejores que los niños de primaria. Solamente llevan más tiempo en la escuela, y han aprendido más.

Los tiempos de todos son perfectos. Nadie va lento ni rápido. Está en el momento justo.

Respetar los tiempos de los demás es una virtud de la sabiduría.

"Cuando tú despiertas y ves que a tú alrededor los demás duermen, no hagas ruido y camina de puntitas. Respeta su sueño. Ellos despertarán en su mejor momento".

Al respetar los tiempos de los demás los estarás amando.

CAPÍTULO VII

Cuanto más te ames, menos amor necesitarás

Al no necesitar amor, te
relacionarás con los demás
sólo por las razones adecuadas.
No por inseguridad. No por miedo.
Sólo por el placer de estar juntos y
de compartir.

Enseñanza 132

Cuando empiezas a vivir en el amor, empiezas a fluir con la vida de una manera armónica, ya que dejas de luchar o de hacerle resistencia a nada o a nadie.

En ese momento, a tu vida entran sólo personas y situaciones armónicas que son correspondientes con tu nivel de amor.

Las situaciones que enfrentas te seguirán enseñando, pero ya no a través del sufrimiento, sino a través de la observación.

Tu vida se convierte en una experiencia de gozo constante. Te llenarás de paz y de felicidad. Ya nada podrá perturbarte.

Dejas de preocuparte o sufrir por los demás porque ya has comprendido que eso no le sirve a nadie. Por el contrario, ves perfección en todo lo que sucede.

Te levantas todas las mañanas agradeciendo por tu maravillosa vida, y en lugar de expectativas, tienes un deseo enorme de servir a los demás.

Sentirás latir el corazón del universo completo dentro de ti, y te llenarás de gozo al comprender que eres parte de esa divinidad maravillosa de amor.

Expresarás el amor a cada paso de tu camino. Cada persona con la que te topes, cada situación, la verás como una maravillosa oportunidad que se te presenta para crecer más en amor.

Sentirás un gozo enorme en tu corazón ya que sabes que es a través del amor como te vas acercando a tu Padre. Al lugar a donde perteneces. De donde saliste y a donde regresarás convertido en un ser de amor.

Enseñanza 133

¿Cómo hago para que me guste algo que no me gusta?

Tú puedes hacer que te guste cualquier cosa, o cualquier situación. Puedes hacer que te guste una persona que normalmente te molesta. Inclusive puedes hasta volver a encender esa llama que ya se está apagando, o que ya se apagó.

Tú puedes hacer que te guste cualquier cosa.

¿Cómo? Con valoración, con reprogramación de la mente, y con mentalismo.

Pongamos un ejemplo:
Supongamos que a mí no me gusta tomar agua natural. Me acostumbré a los refrescos y el agua no la disfruto. Por recomendación del médico ahora requiero de tomar agua, y no sé cómo hacerlo.

Veamos cómo sería el ejercicio en sus tres aspectos:

Valoración.-
Empiezo a pensar en los beneficios que el agua tiene. Le busco todas las cualidades que pueda tener. Todo tiene cualidades. Todos las tenemos. Al hacerme consciente de los beneficios que algo tiene, empiezo a valorarlo.

Reprogramación mental.-
Voy a empezar a repetirme frases de beneficio acerca del agua para que mi mente piense positivamente con relación a ella.

Voy a convencer a mi mente de que el agua es maravillosa a través de estar pensando positivamente.

227

Ejemplo:
- El agua es muy buena para mi cuerpo.
- Yo puedo disfrutar del agua.
- El agua me proporciona beneficios que yo deseo.
- El agua contiene cualidades maravillosas para mi cuerpo.
- Soy muy feliz tomando agua.
- Etc.

Mentalismo.-
El mentalismo consiste en visualizar algo. En traer a mi pantalla mental imágenes que ayuden a apoyar mi propósito. Por lo tanto, voy a visualizarme tomando un gran vaso de agua, disfrutándolo, y feliz. Me visualizo absolutamente saludable.

El ser humano no tiene límites. Los límites te los pusiste tú. Aprende a disfrutar de todo lo que antes no te gustaba. Y sobre todo, aprende a ver a todas las personas a tu alrededor como alguien maravilloso. No taches a nadie de tu lista. Tú puedes hacer que te guste cualquiera.

Enseñanza 134

No le digas al otro lo que hace mal. Eso él ya lo sabe. Mejor dile lo que hace bien y lo ayudarás a superar lo que hace mal.

Tenemos la costumbre de estar diciéndole al otro lo que hace mal. ¿Crees que él no lo sabe? Por supuesto que lo sabe. De nada le sirve ni a él, ni a ti, que se lo estés diciendo.

Partamos de la base de que cada quien hace lo mejor que sabe, y lo mejor que puede. De que cometemos errores no hay duda, pero eso no tiene ningún problema. De hecho son maravillosos, ya que nos dan la oportunidad de aprender.

El que tú se lo estés diciendo, a él le bajas la autoestima y además le caes mal, y a ti te hace perder tu energía vital.

Mejor concéntrate en decirle lo que hace bien. Todos hacemos algo bien. Resalta lo bueno y ahí estarás provocando un mejoramiento en él.

Si te pide ayuda, dale la información que tú tengas para ayudarlo. Enséñalo a hacer mejor las cosas. Pero sólo si te pide ayuda. Si no lo hace, respétalo y déjalo que se siga equivocando. Eso lo fortalecerá y le ayudará a desarrollar habilidades.

Enseñanza 135

Cuando vamos en la calle manejando nuestro coche, vamos interactuando con diferentes tipos de personajes.

1. Está el personaje que tratará de burlarse de los demás. A éste le gusta meterse entre los coches para evitar hacer fila, y no le importa si está irrespetando a algún conductor. Solo piensa en él y en lograr su objetivo. Conoce las Leyes de Tránsito pero no le interesan, y si puede, las viola.

2. Está otro que no sabe manejar bien o no conoce el camino, por lo tanto puede que también se meta en la fila, pero no con el propósito de burlarse de nadie sino porque no sabía que había que formarse. Este si piensa en los demás pero es ignorante al manejar. No conoce bien las Leyes de Tránsito por lo tanto las viola con frecuencia.

3. Está también el que ya sabe respetar y se forma adecuadamente si hay alguna fila, sin pretender afectar a nadie. Conoce las leyes y las respeta, sin embargo le molesta tremendamente que se le quieran colar en la fila. A éste sí le importan los demás pero no acepta a los irrespetuosos. Pierde su paz y su tranquilidad fácilmente cuando maneja, y va estresado luchando para que nadie se le meta.

4. Y está un último personaje que también conoce las leyes y las respeta absolutamente. No se mete nunca a menos que alguien le ofrezca el paso, pero deja pasar sin problema al que se quiera meter.

A éste sí le importan los demás, y siempre buscará respetarlos, y también buscará respetar las Leyes de Tránsito, aun cuando no hubiera nadie que lo supervise.

Este último personaje comprende que en el planeta convivimos diferentes tipo de personas pero que no todos estamos en el mismo nivel. Acepta que todos cumplimos una función diferente, y que las funciones de todos son igual de necesarias.

Sabe que algunas personas no tienen todavía desarrollada la herramienta del respeto y no espera que lo respeten, pero eso no le impedirá que respete a todo conductor por igual.

Y lo más grande que tiene este último personaje, es que desde que sale de su casa hasta que regresa, va disfrutando del camino sin perder su paz ya que su paz no depende de su entorno, sino de él mismo.

Enseñanza 136

Yo soy hijo de Dios.

Soy parte del universo en expansión.

Formo parte del plan perfecto de amor de nuestro Padre Celestial.

Soy parte del todo universal, y también soy parte de la nada.

Siento el corazón del universo latir dentro de mí.

Soy parte de la divinidad. Soy parte del amor. Yo soy el amor.

Cada persona, cada animal, cada planta o mineral somos parte de lo mismo. De ese amor universal por el cual todo se mueve.

Cada ser es mi hermano y yo soy hermano de todos. Vibramos juntos en la frecuencia de la luz.

Ahora comprendo que todos somos iguales, y la única diferencia que tenemos es el lugar del camino en que nos encontramos.

Ante esto, reconozco que siempre hay alguien que ha avanzado más, y otros que han avanzado menos. Por lo tanto, ahora sé que puedo aprender de quien va adelante, y con todo mi amor, sin juzgar ni criticar, le puedo dar mi mano a quien va detrás.

Todos somos parte de Dios mismo, ya que Él es todo. Todo es Dios, y sólo hay Dios.

Enseñanza 137

¿Por qué te sientes triste? ¿Dónde quedó tu sonrisa? ¿Por qué has perdido la alegría de vivir?

Si tú luz se ha ido apagando es porque estás cayendo, o ya caíste, en un estado depresivo. Esto te lleva a la zona oscura de tu mente, y ahí no puedes ver lo que realmente eres. Y lo que realmente eres es maravilloso, sólo que lo has olvidado.

A ese estado oscuro de la mente sólo podemos ir cuando tenemos un conflicto en nuestro campo mental. Hay algo que no has aceptado que perturba tu vida.

Cualquier suceso que te haya dejado esa huella te hace confundirte. Pierdes energía, y esa falta de energía te tiene a oscuras. Desde donde estás no puedes ver todas las opciones que tienes, todo ese tesoro maravilloso que hay en tu interior del que fuiste dotado desde que naciste.

Con el sólo hecho de ser el Hijo de Dios ya eres un ser maravilloso, sólo que probablemente no lo hayas reconocido. Dios depositó la semilla del amor en ti desde el momento en que fuiste concebido. Pero después tu mente se contaminó y te llenaste de miedos y de traumas. Eso te ha hecho olvidar tu grandeza.

Cualquier cosa que traigas dentro no es importante. Por muy duro el suceso, o por muy dura la experiencia, no es importante. En el universo no existe nada malo, sólo existen experiencias necesarias para que aprendamos de ellas. Lo bueno o lo malo se lo da tu mente, que califica las experiencias según sus creencias.

233

No permitas que nada te haga sufrir. En lugar de ver el pasado con terror, puedes verlo con agradecimiento. Gracias a todo lo que has vivido, a lo que has hecho y a lo que te han hecho, tú te has ido desarrollando.

Ahora ya puedes dejar eso atrás. Decide aprovechar la experiencia para aprender de ella, y quítale la fuerza que te ha aplastado tanto. Desde la comprensión de amor tú puedes neutralizar cualquier experiencia, por terrible que haya sido.

Enseñanza 138

Una persona que siempre se está quejando de lo que tiene, está por perderlo.

No hay nadie que carezca de lo necesario. Nadie, ningún ser humano ni ningún ser viviente, si está vivo, puede carecer de lo necesario.

Si yo tengo un coche pero me quejo de él, no estoy valorando que gracias a él me desplazo a donde necesito ir. Ese coche me da un servicio pero yo no lo reconozco porque me gusta más el coche de mi vecina. Estoy en camino a perderlo porque no lo estoy valorando.

Cuando yo no valoro algo, la vida me responde así: "Quítale el coche a esa persona para que aprenda a valorarlo". De ahora en adelante se puede mover en una bicicleta. O a pie. Necesita una lección.

Mi sistema de creencias nunca está contento. No se conforma ni acepta. No valora lo que tiene. El ego siempre quiere lo que no tiene.

Y por supuesto, si ésta es la situación, cada vez voy teniendo menos.

Mientras más me quejo de lo que tengo, más correspondiente me hago con tener menos.

"Quien se queja de lo que tiene, está en camino de perder lo que necesita".

Enseñanza 139

¿Qué forma tiene el agua? El agua tiene la forma del molde que la contiene.

Si el molde es redondo, el agua tomará una forma redonda. Si es cuadrado o alargado, el agua tomará forma cuadrada o alargada.

Esa característica de no resistencia la tiene el agua, no el molde. El agua se adapta a cualquier molde ya que tiene una característica flexible. El molde por el contrario es rígido.

El principio de amor tiene la misma característica que el agua. Siempre se adapta. No ofrece resistencia alguna.

Sin embargo el ego es igual al recipiente, totalmente rígido e inflexible.

¿Qué característica hay en ti? ¿La del agua o la del molde?

Cuando tú comportamiento está regido por el ego, seguramente tienes dificultades para relacionarte. No tienes la capacidad de adaptarte y te gusta tener la razón. Te gusta que se hagan las cosas como tú dices, y que los demás se adapten a ti. Totalmente rígido e inflexible.

Cuando tu comportamiento está regido por el amor, sin duda tus relaciones serán excelentes, al igual que tu salud y tus recursos. Tu flexibilidad te permite adaptarte a tu entorno, y aceptar todo tal cual es sin ofrecer ningún tipo de resistencia.

El amor por ser un principio neutro, no le ofrece resistencia a nada. Siempre se adapta.

Enseñanza 140

Desde el momento en que un bebé está en el vientre materno formándose, ya está siendo susceptible al trauma. Su mente se está formando, pero ya graba todo lo que percibe de su madre.

Desde el momento de la concepción, el bebé ya cuenta con una memoria psicológica, que empieza a grabar información. Según el estado emocional de la madre, el bebé lo va percibiendo.

Si la madre se enfrentó a algún suceso difícil en su embarazo, como la pérdida de un ser querido, algún susto, o un rechazo a su embarazo, ese bebé está recogiendo lo que se deriva de esa experiencia.

Cuando me preguntan que si traemos traumas de vidas pasadas, la respuesta es No. Los traumas no trascienden a ningún lado, por lo tanto no pasan de vida a vida. Lo que si puede ser es que se hayan formado desde antes del nacimiento, y ya nazcamos con ellos.

Enseñanza 141

Cuando yo mezclo los mejores ingredientes, los amaso y les doy forma de pan, ¿Qué es lo que tengo? ¿Tengo un pan? Pues no, todavía no tengo un pan.

Entonces, ¿Qué tengo? ¿Cómo le puedo llamar? Pues se llama pan, aunque todavía no lo sea.

Aunque todavía no esté listo, tiene los mejores ingredientes para convertirse en un maravilloso pan. Tiene las características del pan. La composición química y los nutrientes.

¿Qué le falta? Le falta pasar algún tiempo en el horno. Lo mismo pasa con nosotros. Nos llamamos seres humanos aunque todavía no lo somos.

Tenemos todo para serlo pero aún no estamos listos. Nos falta tiempo en el horno. O sea, en la vida.

¿Qué tan humano puede ser un agresivo que no tiene ningún respeto por el otro? ¿O el que asesina, viola o roba a alguien? No tiene nada de humano.

¿Y qué tan humano puedo ser yo cuando no acepto al otro como es y lo quiero cambiar para que se adapte a lo que a mí me acomoda?

¿Qué hay de humano en una persona que le echa la culpa al otro de lo que le pasa en su vida, en lugar de asumir el resultado de sus decisiones?

En nuestros comportamientos no hay nada de humano. Ni tantito. Lo que hay es mucha ignorancia y un ego muy grande.

Aunque nos llamemos seres humanos, todavía no lo somos del todo. Estamos en el horno creciendo, perfeccionándonos y aprendiendo a amar.

Cuando hayamos aprendido a respetar a todo ser vivo, independientemente de que me guste o no, podremos decir que somos humanos.

Cuando yo pueda ver con amor a cada persona, cada suceso, cada experiencia, y comprender la maravillosa perfección que hay en todo, podré decir que soy un ser humano.

Nos falta todavía vivir experiencias, cometer errores y aprender de ellos. Sólo así podré estar listo. Por ahora, estoy en proceso.

Llegará el momento en que yo ya haya aprendido lo suficiente, y entonces saldré del horno convertido en un hermoso ser humano.

Enseñanza 142

Mensaje para Nochebuena:

¿Qué deseo para ti en esta Navidad?

- Que esta Nochebuena seas luz radiante, con un brillo tal que puedas iluminar el lugar donde tu familia esté reunida.

- Que tu amor toque a todos y cada uno de tus seres queridos, y encuentren en ti siempre un aliento y una esperanza.

- Que enumeres con alegría todas las sillas ocupadas que hay en tu mesa, y las puedas valorar. A las vacías sólo dales un "Te recordaré por siempre, gracias por haber estado en mi vida", y suéltalas sin entristecerte. Esta noche disfruta de los que sí están presentes.

- Que puedas alegrarte con cada platillo, cada bebida, cada dulce o chocolate, cada persona o cada juego, y con agradecimiento profundo te hagas consciente de lo que tienes, y lo disfrutes.

- Que seas un punto neutro de amor con la capacidad de conciliar cualquier situación.

- Que esta Nochebuena cuides tu palabra, y que no seas tú quien haga sentir mal a nadie. Que todo lo que digas o hagas lleve un mensaje de amor.

- Que hoy te puedas sentir inmensamente feliz con la felicidad de los demás. Que si ellos están felices, tú puedas estar feliz así no te guste lo que estén haciendo.

- Que tengas la capacidad de aceptar a todos, y sin juzgar a nadie les puedas dar un cálido y fuerte abrazo de Navidad con todo tu amor.

- Que puedas disfrutar más de lo valioso que de lo costoso. Independientemente de lo que recibas, que puedas encontrar el valor de lo simple. Ese platito de buñuelos, esa sonrisa, ese abrazo que te dieron, te haga sentirte profundamente feliz.

- Que tengas la capacidad de abrirte a lo que la vida te ofrece. Que esta Nochebuena le puedas decir Sí a todo con alegría, y lo recibas feliz.

- Que estés dispuesto a servir sin condición. Que un "Cuenten conmigo" esté en tu boca de forma oportuna.

Esta Navidad no seas tú quien genere sombras. Que el amor que hay en ti se exprese en toda su grandeza, y encienda una luz radiante en tu familia.

Enseñanza 143

No le pidas a Dios ni a los ángeles que vengan a solucionar tus problemas. No lo van a hacer.

Tendemos a estar esperando recibir ayuda y nos ponemos en modo pausa pretendiendo que otro haga lo que me corresponde hacer a mí.

No es que no me puedan ayudar. Claro que pueden. Sólo que no lo hacen porque estarían evitando que yo aprenda.

Es como un padre o una madre. No es que no les puedan hacer a sus hijos la tarea. Claro que pueden. Pero no lo harían porque saben que el que necesita aprender es el hijo, y no el Padre.

Por lo tanto, no pierdas tu tiempo pidiéndole ayuda a Dios o a los ángeles. Mejor disponte tú a actuar y hacer lo que te corresponde.

Lo que sí puedes pedir y esa te la darán siempre es información para que puedas resolver tus asuntos tú sólo. Esa nunca se le niega a nadie.

El universo está constituido de información, en distintos niveles. En cada nivel del universo lo que hay es información. De ti depende acceder a ella.

Cuando tú le pidas a Dios, a los maestros o a los ángeles información, te la harán llegar por algún medio cualquiera.

O te llega algún amigo invitándote a un curso que te hace falta, o te regalan el libro que habla sobre lo que buscas, o te encuentras con un programa especial. Te puede llegar de muchas maneras.

Por lo tanto ya sabes, "Invoco la presencia del Padre, de los maestros o de los ángeles, y solicito información para este asunto que tengo en mente; y me abro a recibir la información que tienen para mí".

Después de eso y por todo el día, ponte a observar las señales que se te envían.

Enseñanza 144

La imperturbabilidad es un estado de sabiduría, donde nada de lo que pasa a tu alrededor te puede alterar. Es una facultad que adquiere una persona con un alto nivel de desarrollo espiritual, que puede conservar su paz interior ante cualquier suceso.

Para llegar a este nivel se necesita haber hecho un trabajo de desensibilización del sentimiento. Y una comprensión del orden del universo.

Vivimos en un planeta donde la paz no existe. No existe porque no es correspondiente con la gente que en él vivimos.

Los habitantes del planeta necesitamos la desarmonía para valorar la armonía. Necesitamos de la violencia y la agresión para desarrollar la herramienta del respeto. Necesitamos del caos y de sufrimiento para aprender a valorar.

Solo en un ambiente violento y agresivo yo puedo desarrollar herramientas de amor en mí. Solo en dónde no existe la paz yo puedo aprender a desarrollar la paz.

Si tú quisieras enseñar a alguien a limpiar, ¿Le das una camisa limpia o una sucia? Sobre una camisa limpia no puede aprender nada. ¿Qué aprende si ya está limpia? Necesita una camisa bien sucia para poder aprender a limpiarla.

Por eso nacemos en un planeta como la Tierra. Para desarrollar el amor en ti, aquí precisamente donde no hay amor. Para desarrollar la paz en ti, aquí precisamente donde no existe la paz.

Una persona que ya logró desarrollar la paz en su interior, y nada lo puede perturbar, es una persona que ya alcanzó el estado de la Imperturbabilidad. Este ya es un nivel de maestría.

Enseñanza 145

¿Tú eres de las personas que se ponen de malas porque las cosas no salen cómo quieres?

¿O eres de los que con frecuencia critican y juzgan los comportamientos de los demás?

¿Te desesperas con la lentitud o la demora de otros?

¿Eres de los que creen que nadie hace las cosas como tú?

¿Te sientes mal cuando las cosas no quedan como a ti te gustan?

¿Te resulta difícil aceptar ideas o comportamientos diferentes a los tuyos?

¿Te sientes con miedo a perder tus bienes o a tus seres queridos?

Si es así, si una o varias de tus respuestas son positivas, lo que tienes es un miedo a perder muy desarrollado.

No eres consciente de esto, pero dentro de ti, en tu instinto, hay un macho dominante con miedo a perder lo que tiene. A perder su posición.

El miedo a perder nos genera reacciones agresivas, y estas reacciones agresivas nos generan problemas en las relaciones humanas.

Este miedo está en tu instinto, como algo natural. Unos lo tenemos más desarrollado, y otros muy mínimo, pero todos lo tenemos.

Si en ti está alto, es necesario que lo trabajes, ya que te llevará a dañar fuertemente tus relaciones.

Enseñanza 146

¿Tú eres de las personas que sienten que alguien les hizo daño y creen que deban pagar por eso?

¿O eres de los que dudan mucho antes de tomar una decisión?

¿Acostumbras pedirles a los demás qué te hagan cosas que tú mismo podrías hacer?

¿Eres de los que se entristecen o se ofenden fácilmente con lo que los otros digan o hagan?

¿Te sientes mal cuando las cosas no quedan como a ti te gustan?

¿En ocasiones dejas de hacer algo que te gustaría porque te da pena?

¿Descuidas tu salud o corres riesgos innecesarios?

Si es así, si una o varias de tus respuestas son positivas, lo que tienes es un miedo a enfrentar muy desarrollado.

No eres consciente de esto, pero dentro de ti, en tu instinto, hay un macho subordinado con miedo a enfrentar la vida. Con inseguridad por no sentirse capaz.

El miedo a enfrentar nos produce una sensación de frustración interior. De aquí se derivan los problemas de autoestima baja. Las personas con este miedo son personas que no se sienten lo suficientemente capaces; se sienten débiles e inseguros.

De aquí la frustración interior de no lograr enfrentarte a los sucesos de la vida, y derivado de esta frustración o esta incapacidad para enfrentar, se generan los problemas de escasez en la vida.

Este miedo está en tu instinto, como algo natural. Unos lo tenemos más desarrollado, y otros muy mínimo, pero todos lo tenemos.

Si en ti está alto, es necesario que lo trabajes, ya que limita la abundancia en ti. Este miedo te mantiene en escasez económica, y te restringe los recursos.

Enseñanza 147

¿Tú eres de las personas que se sienten mal por no ser tomado más en cuenta por los demás?

¿O eres de los que con frecuencia les da pereza arreglarse o mantener su entorno con pulcritud?

¿Te sientes angustiado o desprotegido cuando estás sólo?

¿Eres de los que creen que la vida es muy dura y que sería mejor morir?

¿Te sientes mal cuando tu pareja o tus seres queridos comparten con otras personas?

¿Con frecuencia caes en estados donde no te provoca hacer nada?

¿Tu sensación habitual es de tristeza, soledad y abandono?

Si es así, si una o varias de tus respuestas son positivas, lo que tienes es un miedo al abandono muy desarrollado.

No eres consciente de esto, pero dentro de ti, en tu instinto, hay una hembra con miedo a ser abandonada. A perder su protección.

El miedo al abandono nos genera reacciones a la protección. Quien tiene este miedo muy desarrollado se vuelve un proteccionista intenso, o por el contrario, una persona muy desvalida con una necesidad fuerte de ser protegida. Esto les genera problemas de adaptación al medio ambiente, o al lugar donde la vida los colocó.

A donde vayan fracasan porque no pueden ubicarse. No pueden adaptarse porque fueron generalmente sobreprotegidos.

Este miedo está en tu instinto, como algo natural. Unos lo tenemos más desarrollado, y otros muy mínimo, pero todos lo tenemos.

Si en ti está alto, es necesario que lo trabajes, ya que te llevará a dañar fuertemente tu vida.

Enseñanza 148

¿Tú eres de las personas que tratan de evitarles las dificultades a sus seres queridos?

¿O eres de los que con frecuencia se sienten totalmente indefensos sin haber causa aparente?

¿Temes ser engañado y difícilmente llegas a confiar totalmente en alguien?

¿Eres de los que con frecuencia sospechan de las personas y desconfían de las situaciones desconocidas?

¿Existen situaciones ante las cuales te paralizas o te quedas mudo?

¿Desinfectas todo lo que usas y te lavas las manos con mucha frecuencia?

Si es así, si una o varias de tus respuestas son positivas, lo que tienes es un miedo a la muerte muy desarrollado.

No eres consciente de esto, pero dentro de ti, en tu instinto, hay un cachorro que por indefenso, tiene un gran miedo a morir.

El miedo a morir se genera en el indefenso que prefiere esconderse a enfrentar. Su característica es la evasión. Quiere evadir la realidad. Quiere evadirse de la vida. Quiere evadirse de todo.

Este miedo genera los problemas de salud en el ser humano. Su rechazo a la vida hace que su salud se vea comprometida constantemente.

Este miedo está en tu instinto, como algo natural. Unos lo tenemos más desarrollado, y otros muy mínimo, pero todos lo tenemos.

Si en ti está alto, es necesario que lo trabajes, ya que te llevará a dañar fuertemente tu salud.

Enseñanza 149

Cuando te toca vivir situaciones difíciles en la vida, es muy común que te sientas víctima. Hasta sientes pena de ti mismo. Crees que tuviste mala suerte y te compadeces por esto.

Lo que creemos que es malo, es buenísimo. En el universo no existe nada malo. Todo es perfecto.

A la vida venimos a aprender y de lo bueno yo no aprendo. Aprendo de lo que conocemos como malo, de lo difícil, de lo que me rebasa.

Por lo tanto, agradece las dificultades como lo mejor que te pueda pasar. Cada situación complicada te está fortaleciendo. Te está enseñando algo. Te está purificando.

No te lamentes de lo que te ha pasado. Aprovéchalo. Aprende de ello. Agradécelo.

Y por favor, no te hagas la víctima. La gran mayoría del planeta Tierra vive en el papel de víctima. Todos tienen la culpa de lo que a ellos les pasa. La culpa la tienen los demás. La tiene el gobierno, mi familia, el clima. Todo menos yo. Es más fácil esto que asumir mi vida.

Mientras yo no logre asumir mi vida, no puedo avanzar. ¿Cómo podría yo avanzar si yo no soy responsable de nada?

Ahí estás estancando tu desarrollo evolutivo. Aquel que no asume su vida, está estancado. Solo al reconocer mis limitaciones puedo empezar a trabajarlas, y salir de ellas.

Enseñanza 150

Vivir en el ahora es una de las virtudes más grandes que puedas desarrollar en ti.

Mantenerte presente te hace reflexionar. Te abre las puertas a la plenitud espiritual. Te mantiene consciente de ti mismo.

Entrénate en mantenerte en el ahora, hasta que se convierta en un hábito. Que sea un hábito en ti.

Repítete constantemente: "Que mi mente esté donde está mi cuerpo".

Si me estoy bañando, que mi mente esté conmigo. Disfruto del agua deslizándose sobre mi cuerpo. Disfruto de los aromas del jabón. Me hago consciente de la temperatura, del bienestar que me produce el agua sobre mi cuerpo.

Si estoy desayunando, que mi mente esté conmigo. Disfruto de cada sabor, de cada textura, de cada olor. Me hago consciente de la comida dentro de mi boca, y cómo mis muelas la van deshaciendo.

Si estoy trabajando, que mi mente esté conmigo. Me concentro en mi trabajo, y en todo lo que tengo pendiente por hacer. Me hago consciente de lo que tengo que resolver, y estoy con mis cinco sentidos puestos en mi trabajo.

Si estoy descansando, que mi mente esté conmigo. Me dispongo a descansar y me hago consciente de mi cuerpo sobre la cama. Disfruto de la relajación de mi cuerpo, del roce de las sábanas, de la delicia de mi almohada.

Nuestra mente es como una chiva loca. Está brincando de pensamiento en pensamiento sin descansar. Si yo me estoy bañando, mi mente está en el trabajo. Si estoy trabajando, mi mente está en alguna situación familiar. Siempre estoy pensando en otra cosa.

Tomar consciencia de cada cosa que hago me mantiene en el aquí y en el ahora.

Lorena Villarreal
Conferencista, terapeuta, escritora.

Después de enviudar en dos ocasiones, de cuidar dos maridos con enfermedades muy largas y complicadas, y de tener que trabajar muy duro para educar y criar sola a cuatro hijos, Lorena entró en una etapa de cuestionamiento muy fuerte. No lograba comprender por qué la vida podía ser tan difícil para algunos, y tan sencilla para otros.

Su proceso de rebeldía e ignorancia la llevó a empezar una búsqueda de respuestas. Después de andar en el camino, entró en contacto con la información de Escuela de Magia del Amor. Por fin, las piezas de su rompecabezas empezaban a encajar.

Actualmente comparte información de sabiduría, con el fin de llevar luz a las mentes que todavía se encuentran en estados de penumbra o de oscuridad.

Al comprender cómo funciona el universo, y que detrás de todo cuanto existe y sucede hay un propósito de amor muy grande e inteligente, pudo reconocer que la lucha es innecesaria, y que lo mejor que puedes hacer es aprovechar las experiencias. Dejar de ver las situaciones como problemas y empezar a verlas como oportunidades.